Le rendez-vous des amants

NORA ROBERTS

Le rendez-vous des amants

Collection : NORA ROBERTS

Titre original : FROM THIS DAY

Traduction française de FABRICE CANEPA

HARLEQUIN®
est une marque déposée par le Groupe Harlequin

Photo de couverture
Femme : © ROYALTY FREE DIVISION/MASTERFILE
Réalisation graphique couverture : T. SAUVAGE

© 1983, Nora Roberts. © 2011, Harlequin S.A.
83-85, boulevard Vincent-Auriol 75646 PARIS CEDEX 13.
Service Lectrices — Tél. : 01 45 82 47 47
www.harlequin.fr
ISBN 978-2-2802-3404-7

Chapitre 1

Cette année-là, en Nouvelle-Angleterre, l'hiver n'avait paru céder qu'à contrecœur la place au printemps. Par endroits, la neige recouvrait encore les prairies. Mais les premiers bourgeons avaient fait leur apparition sur les branches des arbres et certains s'ornaient de nouvelles feuilles d'un vert tendre. La substance même de l'air semblait s'être modifiée et portait la promesse de l'été à venir.

B.J. était accoudée à sa fenêtre et observait attentivement le paysage bucolique qui s'étendait sous ses yeux. Une brise légère caressait ses longs cheveux blonds, la faisant frissonner de bien-être. Elle décida de profiter de cette belle journée pour aller se promener.

Il restait encore quelques semaines avant le début des vacances et la moitié seulement des chambres de Lakeside Inn, l'auberge dont la jeune femme assurait la gérance, était occupée. Cela lui permettait de jouir d'une certaine liberté dans l'organisation de son emploi du temps.

D'autant qu'elle accordait une entière confiance à

ses employés. A ses yeux, son équipe formait une grande famille. Bien sûr, elle n'était pas à l'abri de disputes, de rancœurs et de bouderies. Mais elle parvenait toujours à surmonter ces épreuves et en sortait généralement plus forte et plus unie.

Cette complicité constituait pour elle l'un des facteurs clés expliquant le succès de l'hôtel. Et elle était très fière d'avoir su cultiver cet esprit de camaraderie au cours des années.

Se détournant de la fenêtre, B.J. entreprit de tresser ses cheveux. Le miroir lui renvoyait son reflet et elle se prit à sourire. Cette coiffure ainsi que le jean et le pull-over trop larges qu'elle portait la faisaient paraître plus jeune encore que ses vingt-quatre ans. C'était peut-être aussi à cause de ses grands yeux bleus qui lui donnaient un air faussement innocent.

Mais ceux qui travaillaient à ses côtés savaient qu'il ne fallait pas s'y fier. B.J. gérait l'auberge avec un professionnalisme pointilleux et avait su gagner le respect de son équipe et de ses clients.

Après avoir enfilé une paire de baskets, la jeune femme quitta sa chambre et descendit au rez-de-chaussée. Gagnant la réception, elle constata avec satisfaction que des fleurs fraîchement coupées avaient été disposées dans le vase qui ornait le comptoir.

B.J. se dirigea alors vers la salle à manger et,

comme elle approchait, elle entendit deux serveuses qui discutaient.

— Je suppose que tu n'as pas à te plaindre, déclara Dot d'une voix sardonique. Du moins, si tu aimes les hommes aux petits yeux porcins…

— Wally n'a pas des yeux porcins, répliqua Maggie. Il a même un très beau regard. Et, à mon avis, c'est pour cela que tu es jalouse.

— Jalouse ? Moi ? s'exclama Dot, moqueuse. Ce n'est pas demain la veille que l'un de tes petits amis me rendra jalouse, crois-moi !

La jeune femme avisa alors la présence de B.J., qui les observait d'un air amusé.

— Bonjour, dit-elle.

— Bonjour, Dot. Bonjour, Maggie. Dot, tu viens de mettre deux cuillères et un couteau dans cette serviette.

— Cela ne m'étonne pas, intervint Maggie, moqueuse. C'est la jalousie qui lui fait faire n'importe quoi. Tu sais que Wally doit m'emmener au cinéma, ce soir ?

— Félicitations, répondit B.J. J'espère que cette fois, ce sera le bon…

Dot ne put retenir un ricanement dubitatif. B.J. décida de les laisser à leur dispute et s'éloigna en direction de la cuisine. Contrairement à la salle à manger, qui avait conservé un cachet ancien, cette pièce était équipée de ce qui se faisait de mieux et de plus moderne.

D'une propreté impeccable, elle était à la hauteur de la réputation de l'auberge en matière de gastronomie. Comme chaque fois que B.J. posait les yeux sur cet impressionnant alignement de fourneaux, de placards et de robots ménagers, elle eut l'impression de regarder des soldats en ordre de bataille, prêts à passer à l'action dès que la nécessité s'en ferait sentir.

— Bonjour, Elsie, dit-elle à la corpulente cuisinière qui régnait en maîtresse incontestée sur cet univers étincelant.

Celle-ci grommela une réponse sans lever les yeux de la sauce qu'elle était en train de faire monter dans une large casserole de cuivre.

— Je vais aller me promener, lui dit B.J. en se servant une tasse de café. Est-ce que tout se passe bien ?

— Oui. Sauf que Betty Jackson refuse de nous livrer de la gelée de mûre.

— Vraiment ? s'étonna B.J. Et pourquoi cela ?

— Elle a dit que, si tu ne te donnais même pas la peine de rendre visite à une vieille femme solitaire de temps à autre, elle ne voyait pas pourquoi elle nous fournirait en confiture.

— Une vieille femme solitaire ? répéta B.J. en riant. Elle voit plus de gens chaque jour qu'un député en campagne ! Et je n'ai vraiment pas le temps d'aller écouter les derniers ragots de la région.

— Tu t'inquiètes au sujet du nouveau propriétaire ? demanda Elsie.

— Pas vraiment, répondit-elle en haussant les épaules. Simplement, je suis bien décidée à ce que tout soit parfaitement en ordre lorsqu'il arrivera.

— Vraiment ? Eddie m'a pourtant dit que tu avais passé une bonne partie de la journée d'hier à tourner dans ton bureau comme un fauve en cage. Et que tu n'arrêtais pas de marmonner des imprécations au sujet de la visite de ce Reynolds.

— Il exagère. Taylor Reynolds a parfaitement le droit de venir inspecter l'hôtel qu'il vient juste d'acquérir. Mais, lorsqu'il m'a téléphoné, il a vaguement évoqué la possibilité de moderniser les lieux et j'avoue que cela m'inquiète un peu. J'espère qu'il ne compte pas transformer l'auberge du tout au tout. Si tel est le cas, je devrai m'efforcer de le convaincre que c'est parfaitement inutile et que nous n'avons besoin de rien…

— Sauf de gelée de mûre, objecta Elsie d'un ton moqueur.

— C'est vrai, acquiesça la jeune femme en riant. Très bien, je vais m'en occuper. Mais si Betty me répète une fois de plus qu'Howard Beall est un garçon très bien et qu'il ferait un mari idéal, je l'étrangle !

— Elle n'a pourtant pas tort, tu sais ? répondit malicieusement la cuisinière.

Réprimant un petit soupir d'exaspération, B.J. quitta la cuisine par la porte qui donnait directement sur le parc. Elle alla chercher sa vieille bicyclette rouge au garage et remonta ensuite l'allée bordée d'érables qui permettait de rejoindre la route principale.

Le panorama splendide ne tarda pas à dissiper les idées noires que lui inspirait l'arrivée prochaine de Taylor Reynolds et elle laissa son regard errer sur le paysage familier qui l'entourait.

Les prairies ondulantes s'étaient couvertes de violettes et de coquelicots. Au loin, le lac Champlain miroitait sous les rayons du soleil qui éveillaient à sa surface de beaux reflets d'argent. Les montagnes étaient encore recouvertes de neige. Bientôt, celle-ci fondrait pour laisser place à de verts pâturages entrecoupés de petits bois de pins.

Quelques nuages blancs dérivaient paresseusement dans le ciel azuré, poussés par une brise agréable qui se chargeait d'odeurs printanières. Enchantée par le caractère bucolique de cette belle matinée, B.J. se mit à pédaler à vive allure. Et lorsqu'elle arriva enfin en ville, elle avait complètement oublié ses préoccupations et ses inquiétudes.

Lakeside était une petite bourgade typique de cette partie de la Nouvelle-Angleterre. Les maisons blanches étaient entourées de pelouses méticuleusement entretenues et bordées de barrières blanches.

B.J. avait grandi là et connaissait de vue presque tous les habitants. Elle n'avait quitté la région que le temps de décrocher son diplôme universitaire et était revenue sans la moindre hésitation dès la fin de ses études.

Elle aimait la vie simple que menaient les gens d'ici. Et, après avoir vécu quelques années dans une grande ville, elle n'en appréciait que plus le caractère familier et rassurant de cet endroit.

B.J. parvint enfin devant la maison de Betty Jackson et descendit de bicyclette. A peine eut-elle franchi le petit portail du jardin que la porte d'entrée s'ouvrit, révélant Betty, qui la regarda approcher avec une expression malicieuse.

— B.J. ! Quelle surprise ! s'exclama-t-elle enfin. Je me demandais si tu n'étais pas repartie pour New York…

— J'ai été très occupée, ces derniers temps, reconnut la jeune femme d'un ton faussement contrit.

— Je suppose que c'est à cause du nouveau propriétaire, remarqua Betty en faisant signe à

B.J. d'entrer. J'ai entendu dire qu'il voulait transformer l'auberge.

Stupéfaite une fois de plus par le fait que rien de ce qui se passait en ville ne paraissait échapper à la vieille dame, B.J. la suivit à l'intérieur. Toutes deux s'installèrent dans le petit salon décoré de centaines de sculptures en forme de grenouille dont Betty faisait la collection.

— Tu savais que Tom Myers comptait ajouter une pièce à sa maison ? demanda la vieille dame en prenant place dans un confortable fauteuil en velours. Loïs va avoir un nouveau bébé. Trois en quatre ans, cela fait tout de même beaucoup… Mais je crois que tu aimes les enfants, n'est-ce pas, B.J. ?

— Bien sûr, madame Jackson, acquiesça la jeune femme, comprenant où elle voulait en venir.

— Mon neveu, Howard, les adore, lui aussi.

B.J. dut faire appel à toute la force de sa volonté pour retenir un soupir d'agacement.

— Justement, dit-elle, il y en a plusieurs à l'auberge, en ce moment. Et ils ont littéralement dévoré nos réserves de confiture. Il ne me reste plus qu'un pot de gelée de mûre et je me demandais si vous en aviez encore à vendre. Personne ne les prépare mieux que vous, madame Jackson, et je suis certaine que vous ruineriez les principaux fabricants du pays si vous décidiez de les commercialiser !

— Ce n'est pourtant pas sorcier, répondit Betty, rayonnante de fierté. Tout est une question de dosage.

— Je crois bien que je serais obligée de fermer si vous ne m'en cédiez pas régulièrement quelques pots, renchérit B.J. M. Conners, notamment, serait effondré s'il en était privé. Vous savez comment il appelle votre gelée ? De l'ambroisie !

— De l'ambroisie, répéta Betty, songeuse. C'est peut-être un tout petit peu exagéré…

Mais le compliment avait eu l'effet escompté et, quelques minutes plus tard, B.J. plaça dans le panier de sa bicyclette une douzaine de pots de confiture. Elle prit alors congé de la vieille dame et remonta en selle pour reprendre le chemin de l'auberge.

Comme elle passait devant le terrain de base-ball, elle se fit héler par les garçons qui s'entraînaient. Aussitôt, elle arrêta son vélo et descendit pour aller à leur rencontre.

— Quel est le score ? demanda-t-elle, curieuse.

— Cinq à quatre en faveur de l'équipe de Junior, répondit l'un des jeunes.

Se tournant en direction dudit capitaine, elle vit que celui-ci l'observait avec attention, un sourire de fierté aux lèvres.

— Je vais vous donner un coup de main, dit-elle en attrapant au vol la casquette du garçon le plus proche.

Elle la vissa sur sa tête et s'avança sur le terrain.

— Tu vas vraiment jouer avec nous, B.J. ? demanda un autre garçon.

— Juste pour un tour de batte. Ensuite, il faut que je retourne travailler.

Junior s'approcha de B.J. et se planta devant elle, les mains sur les hanches.

— C'est moi le lanceur. Et je te parie dix dollars que tu ne toucheras pas une balle, déclara-t-il crânement.

— Je m'en voudrais de te dépouiller de ton argent de poche, répondit la jeune femme.

— Très bien, alors si tu les rates toutes, j'aurai droit à un baiser.

— Si tu veux, répondit-elle en riant. Mais prépare-toi à être déçu !

Junior sourit et alla se placer sur sa base tandis que B.J. s'emparait de la batte. Elle se mit en position et lui fit signe. D'un geste vif, il lança la balle dans sa direction et elle frappa, la manquant de quelques centimètres.

— Et d'une ! s'exclama Junior.

— Parce que tu appelles ça lancer ? s'exclama B.J. avec une parfaite mauvaise foi. Elle était à hauteur de menton.

— Ce n'est pas ma faute si tu as deux mains gauches, B.J., répondit Junior, narquois.

Sur ce, il se replaça.

— Tu peux déclarer forfait, tu sais ? la nargua-t-il en faisant sauter la balle dans son gant. Celle-là, tu ne l'auras jamais...

— Regarde-la bien, Junior, répliqua B.J., parce que c'est la dernière fois que tu la vois. Je vais la frapper si fort qu'elle volera directement jusqu'à New York !

Junior sourit et propulsa la balle aussi vite qu'il le put. Mais, cette fois, B.J. était prête et elle la cueillit à la perfection. Tandis qu'elle s'élevait en cloche au-dessus du terrain, la jeune femme se mit à courir. Elle effaça sans problème les trois premières bases sous les vivats des joueurs de son équipe.

Mais, comme elle approchait de la dernière, elle réalisa qu'elle n'aurait pas le temps de l'atteindre et plongea en avant pour la toucher. Quasiment au même instant, Scott Temple rattrapa la balle.

— *Out* ! s'exclama-t-il.

— *Out* ? répéta-t-elle, furieuse. Je l'ai atteinte à temps ! C'est un *home run* !

— *Out*, répéta-t-il en croisant les bras.

— Je crois que tu as besoin de lunettes. En tout cas, je demande un avis impartial ! s'exclama B.J. en se tournant vers les autres garçons.

— Vous étiez *out*, déclara une voix sur sa droite.

Surprise, B.J. se retourna et se retrouva face à un homme qu'elle ne connaissait pas. Brun, grand et bien bâti, il portait un costume sombre très élégant qui le désignait immanquablement comme un étranger à la petite ville. Quittant le bord du terrain, il s'approcha du groupe.

— Vous auriez dû vous contenter de la troisième base au lieu de tenter le *home run*, ajouta-t-il.

— Je n'ai pas *tenté* un *home run*, protesta-t-elle. Je l'ai réussi.

— Non, tu étais *out*, insista Scott.

B.J. lui adressa un regard noir avant de se tourner de nouveau vers l'inconnu. Elle ne put s'empêcher d'admirer son visage aux traits parfaitement dessinés. Ses pommettes hautes, son nez droit et ses yeux de jais lui conféraient une indéniable prestance. Le soleil éveillait des reflets cuivrés dans ses cheveux noirs et soyeux.

Ses vêtements, visiblement taillés sur mesure, et ses chaussures en cuir soigneusement cirées trahissaient un homme aisé. Constatant que la jeune femme l'observait, il lui sourit.

— Je vais devoir rentrer, déclara-t-elle, mal à l'aise. Mais ne va pas t'imaginer que je ne parlerai pas à ta mère de tes problèmes de vue, ajouta-t-elle à l'intention de Scott.

Se détournant, elle regagna sa bicyclette.

— Jeune fille ! la rappela l'inconnu.

Se tournant vers lui, elle comprit qu'il la prenait pour une adolescente. Amusée, elle plaqua sur son visage une expression insolente.

— Ouais ? fit-elle.

— Savez-vous par hasard où se trouve Lakeside Inn ?

— Ecoutez, monsieur, ma mère m'a conseillé de ne pas adresser la parole à des inconnus.

— C'est une recommandation judicieuse, répondit-il en riant. Mais ce n'est pas comme si je vous proposais de faire un tour en voiture !

— C'est vrai, acquiesça-t-elle. C'est à environ cinq kilomètres par là, ajouta-t-elle en lui indiquant la direction. Vous ne pouvez pas vous tromper.

— Merci beaucoup pour votre aide.

— Il n'y a pas de quoi.

L'homme se détourna et se dirigea vers la Mercedes qui était garée au bord du terrain.

— Hé, attendez ! cria la jeune femme.

Il se retourna, curieux.

— Je n'étais pas *out* ! s'écria-t-elle.

Sur ce, elle enfourcha sa bicyclette et s'éloigna à vive allure en direction de l'auberge. Suivant le raccourci qu'elle connaissait, elle y parvint avant la Mercedes, se réjouissant d'avance de la mine surprise que ne manquerait pas de faire son client en découvrant qu'il avait pris la gérante de l'hôtel pour une adolescente.

Tandis qu'elle garait son vélo devant l'auberge, la jeune femme vit sortir un couple de jeunes mariés qui y séjournait.

— Bonjour, mademoiselle Clark, la saluèrent-ils d'une même voix.

— Bonjour ! répondit-elle avec un sourire. Et bonne promenade.

Elle suivit le couple des yeux tandis qu'ils s'éloignaient main dans la main en direction du lac. Puis elle récupéra son chargement de confitures dans le panier de la bicyclette et alla le porter dans la cuisine. Elle regagna ensuite la réception pour prendre son courrier.

Parmi les lettres qui lui étaient adressées, elle trouva une carte postale de sa grand-mère, ce qui la mit d'excellente humeur.

— Vous avez fait vite ! fit une voix, la tirant brusquement de sa lecture.

Levant les yeux, elle se retrouva face au mysté-rieux inconnu.

— J'ai pris un raccourci, répondit-elle. Est-ce que je peux vous aider ?

— J'en doute, répondit l'homme. Sauf si vous savez où je peux trouver le gérant.

— Si vous voulez une chambre, je peux parfai-tement vous en donner une, remarqua-t-elle.

— Vous êtes charmante mais il faut vraiment que je parle au gérant.

— Vous êtes en face de lui, répondit B.J. Enfin… d'elle…

L'homme fronça les sourcils et la considéra avec un mélange d'étonnement et d'incrédulité, se demandant visiblement si elle se moquait de lui.

— Et je suppose que vous gérez l'auberge le soir en sortant du lycée, répondit-il enfin d'un ton sarcastique.

Ce malentendu qui avait initialement amusé la jeune femme commençait à l'agacer.

— Il se trouve que je dirige Lakeside Inn depuis près de quatre ans, déclara-t-elle d'une voix glaciale. Si vous avez le moindre problème ou la moindre question, je suis donc parfaitement à même d'y répondre. Et s'il vous faut simplement une chambre, signez le registre et je serai ravie de vous en proposer une.

L'homme hésita, réalisant apparemment qu'elle était sérieuse.

— Vous êtes vraiment B.J. Clark ? demanda-t-il.

— C'est exact.

Il hocha la tête, médusé, et, d'un geste presque mécanique, tira vers lui le registre qu'elle lui présentait pour y inscrire son nom.

— Je suis désolé, lui dit-il alors. Mais reconnaissez que votre apparence et les circonstances dans lesquelles nous nous sommes rencontrés expliquent mon erreur…

— Si cela peut vous rassurer, mon apparence ne reflète aucunement les mérites de l'auberge, répliqua-t-elle un peu sèchement.

— Ce n'est pas ce que je voulais dire, protesta-t-il, légèrement mal à l'aise.

— En tout cas, je suis certaine que vous serez parfaitement satisfait de nos services, monsieur…

B.J. tourna le registre vers elle et, en lisant le nom de l'inconnu, sentit sa belle assurance fondre comme neige au soleil.

— Monsieur Reynolds ? s'exclama-t-elle, sidérée.

— Taylor Reynolds, en effet, acquiesça-t-il avec un sourire amusé. Ravi de faire votre connaissance, mademoiselle Clark.

— Mais…, balbutia-t-elle, terriblement gênée, nous ne vous attendions pas avant lundi…

— Je me suis libéré plus tôt que prévu.

— Très bien. Bienvenue à Lakeside Inn, dans ce cas.

— Merci. Vous serait-il possible de mettre un bureau à ma disposition durant mon séjour ici ?

— J'ai bien peur que nous n'en ayons pas de disponible. Mais vous pourrez utiliser le mien, si vous le désirez, répondit la jeune femme en lui tendant la clé de leur meilleure chambre.

— Parfait. J'aimerais également voir vos livres de comptes le plus rapidement possible.

— Mais certainement, répondit-elle en s'efforçant de dissimuler l'agacement que lui inspiraient les exigences de ce nouveau propriétaire. Si vous voulez bien me suivre…

A cet instant, ils furent interrompus par Eddie, qui venait de dévaler l'escalier pour rejoindre la réception.

— B.J. ! s'exclama-t-il, hors d'haleine. Le poste de télévision de Mme Pierce Lowell est tombé en panne et elle ne peut plus regarder ses dessins animés !

— Tu n'as qu'à lui donner le mien et appeler Max pour faire réparer celui de Mme Lowell.

— Malheureusement, il est parti en week-end, répondit son adjoint.

— Tant pis, répliqua-t-elle. Je crois que je survivrai deux jours sans télévision. Donne-lui mon poste et laisse une note sur mon bureau pour me rappeler que je dois contacter Max dès lundi.

Eddie hocha la tête et remonta les marches quatre à quatre. Se tournant vers Taylor, elle lui adressa un sourire d'excuse.

— Je suis désolée, lui dit-elle. Eddie a toujours tendance à dramatiser. Mais Mme Lowell est l'une de nos meilleures clientes et elle ne rate jamais son émission de dessins animés du samedi matin.

— Je vois, répondit Taylor.

B.J. lui fit signe de la suivre et le conduisit à son bureau. Tous deux pénétrèrent à l'intérieur et Taylor observa attentivement la petite pièce encombrée d'étagères et de classeurs qui contenaient tous les documents ayant trait à la gestion de l'auberge.

— Ce n'est pas très spacieux, s'excusa B.J., mais j'espère que cela fera l'affaire pour quelques jours.

— Je compte rester deux semaines, corrigea Taylor d'un ton sans appel.

Traversant la pièce, il s'approcha du bureau et souleva le presse-papiers en bronze de la jeune femme, qui représentait une tortue coiffée d'une casquette.

— Deux semaines ? répéta B.J. d'un ton incertain.

— C'est exact. Cela vous pose-t-il un problème ?

— Non, pas du tout, répondit-elle, gênée par la façon dont il la regardait.

Elle avait brusquement l'impression d'être un insecte soumis à l'observation attentive d'un entomologiste.

— Est-ce que vous jouez souvent au base-ball, mademoiselle Clark ? demanda-t-il en s'adossant au bureau.

— Non. Je passais simplement par là…

— En tout cas, votre saut vers la dernière base était particulièrement audacieux. D'ailleurs, ça se lit encore sur votre visage.

Du bout du doigt, Taylor effleura la joue de la jeune femme, qui ne put s'empêcher de frissonner à ce contact. Elle constata avec une pointe d'embarras que son index était maculé de poussière.

— En tout cas, je n'étais pas *out*, déclara-t-elle fièrement. Et si Scott le pense, c'est qu'il a besoin d'un bon ophtalmo !

— J'espère juste que vous gérez cette auberge avec autant d'enthousiasme, déclara Taylor en riant. Je jetterai un coup d'œil à vos comptes dès cet après-midi.

— Je suis certaine que vous serez parfaitement satisfait de ce que vous y trouverez, répondit-elle aussi dignement qu'elle le put. L'hôtel fonctionne sans problème. Notre chiffre d'affaires est bon et nous dégageons des profits substantiels.

— Tant mieux. Je suis certain que les changements que je compte apporter ne feront que conforter ces excellents résultats.

— J'ai effectivement cru comprendre que vous entendiez procéder à quelques aménagements, reconnut B.J., incapable de dissimuler la méfiance que lui inspirait cette idée. Puis-je savoir ce que vous avez en tête ?

— Eh bien, il faut que je me familiarise avec la situation actuelle avant de prendre la moindre décision, mais il me semble que cet endroit serait parfait pour implanter un centre de vacances.

J'envisage de financer la construction de courts de tennis, d'une piscine, d'un centre de remise en forme. Je compte aussi moderniser les bâtiments actuels.

B.J. le regarda d'un air atterré.

— Mais ils n'en ont pas besoin ! protesta-t-elle enfin. Et notre clientèle n'est pas adaptée à ce type de projet. Ce que cherchent nos visiteurs, c'est un endroit paisible, une chambre confortable et une cuisine de qualité. C'est pour cela qu'ils reviennent régulièrement nous voir.

— La transformation de cette auberge vous ferait peut-être perdre quelques habitués mais, croyez-moi, vous attireriez une nouvelle clientèle bien plus large. D'autant qu'aucun établissement n'offre de services similaires dans la région.

— C'est parce que nous sommes à Lakeside et pas à Los Angeles, répliqua vivement la jeune femme. Les gens qui viennent ici recherchent la tranquillité. Ils veulent un cadre bucolique, pas un club de vacances à la mode !

— Vous paraissez bien sûre de vous, mademoiselle Clark.

— Je le suis. Vous possédez peut-être cette auberge mais moi, je connais l'endroit où elle se trouve, monsieur Reynolds. Et, surtout, je connais nos clients. Ils aiment cet hôtel parce qu'il répond à certaines attentes précises. Et je ne vous laisserai pas les décevoir au nom de vos projets pharaoniques !

Taylor la contempla durant quelques instants, un sourire amusé aux lèvres.

— Mademoiselle Clark, déclara-t-il enfin d'une voix teintée d'ironie, s'il me prenait la fantaisie de démolir cette auberge brique par brique, rien ne pourrait m'empêcher de le faire. Je suis le seul à pouvoir décider des modifications qu'il convient d'apporter ou non. Votre poste de gérante ne vous confère absolument aucune autorité en ce domaine. Est-ce bien clair ?

— Parfaitement ! s'exclama B.J., furieuse. Mais ce qui est encore plus clair à mes yeux, c'est que le fait d'avoir assez d'argent pour acheter cette auberge ne vous permet pas pour autant de comprendre comment elle fonctionne. Vous considérez peut-être l'arrogance et l'entêtement comme de précieuses qualités dans le monde des affaires mais, personnellement, je n'y vois que la marque d'une profonde bêtise.

Sur ce, B.J. tourna dignement les talons et quitta la pièce, prenant bien soin de claquer la porte du bureau derrière elle.

Chapitre 2

Folle de rage, B.J. retourna dans sa chambre. Taylor Reynolds était probablement l'homme le plus insupportable qu'il lui avait jamais été donné de rencontrer.

Pourquoi avait-il fallu qu'il choisisse précisément son auberge pour développer ses sombres projets ? Ne pouvait-il donc pas aller jouer au Monopoly ailleurs ? Il possédait suffisamment d'hôtels pour cela.

La compagnie de Reynolds détenait en effet plus d'une centaine d'établissements aux Etats-Unis, sans compter quelques hôtels de luxe implantés à l'étranger. Si Taylor tenait vraiment à relever de nouveaux défis, pourquoi ne montait-il pas un club de vacances en Antarctique ?

Comme elle se faisait cette réflexion, B.J. aperçut le reflet que lui renvoyait le miroir de l'armoire. Son visage était maculé de boue, le jean et le pull qu'elle portait étaient couverts de poussière et ses cheveux étaient tressés en couettes.

En fait, elle avait l'apparence d'une enfant de

dix ans qui aurait passé la journée à jouer dans les bois.

— Pas étonnant qu'il m'ait traitée avec une telle condescendance ! s'exclama-t-elle avec une pointe d'agacement.

B.J. savait qu'elle paraissait beaucoup plus jeune qu'elle ne l'était réellement et que cela avait nui plus d'une fois à sa crédibilité. Aussi s'efforçait-elle d'ordinaire de faire très attention à la façon dont elle s'habillait et de gommer autant qu'elle le pouvait cet aspect juvénile.

— Non seulement j'ai l'air d'une adolescente attardée mais, en plus, je me suis bêtement mise en colère, soupira-t-elle. Je suis sûre que, s'il n'en avait pas déjà l'intention, il est à présent bien décidé à me renvoyer... Mais il n'aura pas à se donner cette peine ! Je préfère démissionner plutôt que travailler pour un tyran dans son genre ! Qu'espère-t-il, au juste ? Que je le regarderai démanteler mon auberge sans rien dire ?

Forte de cette décision, la jeune femme se débarrassa de ses vêtements et enfila une robe couleur ivoire et des chaussures à talon. Après s'être recoiffée, elle choisit des boucles d'oreilles et un collier dans sa boîte à bijoux.

S'observant avec attention dans le miroir, elle jugea que cette nouvelle tenue lui conférait un surcroît de maturité et de crédibilité. Il ne lui restait plus à présent qu'à rédiger la lettre qu'elle comptait remettre à Taylor Reynolds.

Lorsque B.J. pénétra en trombe dans son bureau, elle trouva Taylor assis à sa table de travail. Il était en train de consulter les registres de l'auberge. D'un pas décidé, elle traversa la pièce et se planta devant lui, attendant qu'il daigne lever les yeux vers elle.

Lorsqu'il y consentit enfin, elle se raidit en avisant le sourire amusé qu'il arborait.

— B.J. Clark…, s'exclama-t-il, ironique. Quelle transformation ! J'ai presque du mal à vous reconnaître…

Se carrant dans son fauteuil, il l'observa de la tête aux pieds, sans paraître se soucier le moins du monde du caractère insultant de cette inspection. Mais ce machisme assumé ne surprit guère la jeune femme. Après tout, il ne faisait que conforter l'impression d'arrogance naturelle qui se dégageait de cet homme…

— Il est toujours incroyable de découvrir les trésors que peuvent dissimuler un jean et un pull-over informe.

Bien décidée à ne pas répondre à ses provocations, B.J. déposa sur le bureau la lettre qu'elle venait de rédiger.

— De quoi s'agit-il ? demanda Taylor en haussant un sourcil étonné.

— De ma démission, répondit-elle en le défiant du regard. Et, maintenant que je ne suis plus votre employée, monsieur Reynolds, je vais pouvoir vous dire ce que je pense de vos méthodes. Vous n'êtes qu'un tyran opportuniste qui s'imagine que tout est à vendre, que tout problème peut se régler en y mettant le prix. Eh bien, vous vous trompez ! Cette auberge existe depuis des dizaines d'années et a su préserver un charme et un cachet qui lui assurent une clientèle fidèle. Et vous voulez la transformer en parc d'attractions ! Je ne doute pas du fait que vous parviendrez à vos fins. Mais, pour cela, vous réduirez à néant le travail de tous ceux qui vous ont précédé, vous pousserez à la démission certaines personnes qui travaillent ici depuis plus de vingt ans et vous anéantirez tout le charme de la région. Les gens ne viennent pas ici pour jouer au squash ou pour une cure de thalassothérapie mais pour se promener et profiter du calme et du grand air...

— Est-ce que vous avez terminé votre réquisitoire, maître ? demanda Taylor d'un ton sarcastique qui ne parvenait pas réellement à dissimuler la menace sous-jacente que B.J. percevait dans sa voix.

— Pas tout à fait, répondit-elle, bien décidée à

ne pas se laisser intimider. J'ai encore une chose à vous dire : vous êtes un homme détestable et je suis vraiment heureuse de ne pas avoir à travailler pour vous.

Sur ce, elle tourna les talons et se dirigea vers la porte. Mais Taylor ne lui laissa pas le temps de quitter la pièce. Contournant le bureau, il l'agrippa par le bras et la força à faire volte-face pour le regarder.

— Mademoiselle Clark, je vous ai laissée exprimer votre opinion en toute liberté pour deux raisons. Tout d'abord, vous êtes absolument charmante lorsque vous êtes en colère. Je l'avais déjà remarqué tout à l'heure et je viens d'en avoir l'éclatante confirmation. Il s'agit d'une considération purement personnelle, mais je tenais à être parfaitement honnête à cet égard. La seconde raison est d'ordre professionnel : contrairement à ce que vous pouvez penser, je me refuse à me conduire en tyran et à prendre des décisions sans consulter les personnes les plus qualifiées. Et je respecte votre opinion, dans le fond sinon dans la forme…

A cet instant, Taylor fut interrompu par Eddie, qui passait la tête par l'embrasure de la porte.

— Nous avons retrouvé Julius, annonça-t-il joyeusement à la jeune femme. Je pensais que tu serais heureuse de l'apprendre…

Sur ce, il disparut aussi soudainement qu'il était apparu.

— Qui est ce Julius ? demanda Taylor, étonné.

— Le basset danois de Mme Frank, répondit B.J. Elle ne va nulle part sans lui.

— Je pensais que les chambres étaient interdites aux animaux.

— C'est exact. Mais nous lui avons installé une niche à l'arrière du bâtiment.

Taylor hocha la tête. Réalisant qu'il la tenait toujours par le bras, la jeune femme tenta de se dégager. Mais il ne lui en laissa pas la possibilité. Au contraire, il la guida vers le bureau et la fit asseoir sur l'une des chaises qui lui faisaient face avant de le contourner pour reprendre sa place initiale.

Comme elle faisait mine de se lever, il secoua la tête.

— Vous vous êtes exprimée librement, remarqua-t-il. A présent, c'est à mon tour de le faire. Je considère que vous connaissez bien mieux que moi cet établissement. Et, bien que je m'estime libre d'en faire ce que bon me semble, je tiendrai compte de votre opinion en la matière.

Il ramassa la lettre de démission de B.J., la déchira en quatre et jeta les morceaux dans la poubelle.

— Vous ne pouvez pas faire cela, protesta-t-elle.

— Je viens pourtant de le faire, objecta-t-il en souriant.

— Cela ne m'empêchera pas d'en rédiger une nouvelle, vous savez ?

— Et elle subira le même sort. Inutile de gâcher votre papier à lettres, mademoiselle Clark. Je n'ai aucunement l'intention d'accepter votre démission pour l'instant. Le moment viendra peut-être et, dans ce cas, je vous le ferai savoir.

B.J. ouvrit la bouche pour protester, mais il l'interrompit d'un geste.

— Si vous insistez, je n'aurai pas d'autre choix que de fermer l'auberge le temps de chercher quelqu'un qui soit capable de vous remplacer, déclara Taylor. Bien sûr, cela prendra peut-être quelques mois…

— Vous plaisantez ! Je suis certaine que vous trouverez très rapidement.

— Qui sait ? répondit Taylor en la regardant droit dans les yeux. Il me faudra peut-être six mois…

La jeune femme frémit, réalisant ce qu'il était en train de dire.

— Six mois ? répéta-t-elle. Mais c'est impossible ! Nous avons de nombreuses réservations pour cet été. Et que deviendra le personnel ?

— Il risque effectivement de se retrouver au chômage technique pendant quelque temps, concéda Taylor en souriant d'un air faussement ennuyé.

— Mais c'est du chantage ! protesta vivement B.J.

— Je crois que c'est le terme qui convient, en effet. Je suis heureux de constater que vous comprenez très vite, mademoiselle Clark.

— Vous n'êtes pas sérieux ! s'exclama-t-elle, révoltée. Vous n'allez pas fermer l'auberge juste parce que j'ai démissionné !

— Peut-être, peut-être pas… En tout cas, vous ne me connaissez pas assez pour en être certaine. Etes-vous prête à courir un tel risque ?

Un silence suivit cette question.

— Non, répondit enfin la jeune femme. Contrairement à vous, j'ai le sens de l'éthique et des responsabilités. Mais j'avoue que je ne comprends vraiment pas pourquoi vous tenez tant à me voir rester alors que mes idées sont diamétralement opposées aux vôtres.

— Vous n'avez pas besoin de le savoir, répondit Taylor en haussant les épaules.

Une fois de plus, B.J. fut tentée de le gifler. Mais cela n'aurait probablement fait qu'envenimer une situation qu'elle jugeait déjà suffisamment tendue comme cela.

— Quel âge avez-vous, mademoiselle Clark ? demanda brusquement Taylor.

— Je ne vois pas en quoi c'est important, répliqua-t-elle.

— Vingt et un ? Vingt-deux ans ?

— Vingt-quatre.

— Vingt-quatre ans, répéta Taylor d'un ton songeur. Cela signifie que j'ai huit ans de plus que vous. Vous deviez encore être majorette au lycée lorsque j'ai ouvert mon premier hôtel…

— Je n'ai jamais été majorette.

— Soit. Mais cela ne change rien à ce que je voulais dire. J'ai bien plus d'expérience professionnelle que vous. Mais je sais aussi que cela ne suffit pas toujours. Et c'est pour cette raison que j'ai besoin de vous : parce que vous connaissez mieux que personne la clientèle, les fournisseurs et le personnel de cette auberge. Et j'aurai besoin de ces connaissances durant la période de transition.

— Très bien, monsieur Reynolds. Puisque vous ne me laissez pas le choix, je suis prête à conserver mon poste le temps que vous vous fassiez une idée plus précise de nos activités. Mais je tiens à ce que vous soyez conscient d'une chose : tant que je serai gérante, je m'efforcerai de préserver l'identité de l'auberge. Et si vous entendez la modifier, vous ne pourrez pas compter sur ma coopération.

— Je ne me faisais aucune illusion à ce sujet, répondit Taylor avec un sourire malicieux. Mais, puisque nous avons trouvé un compromis, j'aimerais que vous me fassiez visiter les lieux afin que je puisse me rendre compte de la façon dont les choses fonctionnent. Vous aurez ensuite deux semaines pour me convaincre de la justesse de vos idées.

— Je ne suis pas certaine que ce soit suffisant, objecta la jeune femme.

— Ne vous en faites pas pour moi. Je me targue d'être capable d'évaluer rapidement une situation. D'ailleurs, je suis convaincu que vous aurez à cœur de me montrer que j'ai tort et que l'auberge doit demeurer en l'état.

Quittant son siège, Taylor contourna le bureau et la prit par le bras.

— Venez, lui dit-il en l'aidant à se lever. Faites-moi faire le tour du propriétaire.

Résignée, B.J. entreprit donc de lui faire visiter l'hôtel. Elle s'efforça d'adopter à son égard une attitude aussi détachée que professionnelle mais ne tarda pas à réaliser combien cela lui était difficile.

Il y avait en lui quelque chose qui la mettait vaguement mal à l'aise. A la dérobée, elle se mit à l'observer, cherchant à comprendre les raisons de cette gêne.

Et elle ne tarda pas à réaliser avec une pointe d'effroi que, si Taylor lui apparaissait comme un homme des plus détestable, il n'était pas pour autant départi d'un certain charme auquel elle n'était pas insensible.

Il émanait de lui un mélange d'assurance, de

force et d'humour qu'en de tout autres circonstances elle aurait pu trouver très attirant.

Cette idée avait quelque chose de terrifiant. Et la perspective de passer les deux prochaines semaines en sa compagnie ne contribuait guère à la rassurer.

— Vous rêvez, mademoiselle Clark ? demanda brusquement Taylor.

Arrachée à ses pensées, la jeune femme s'aperçut qu'elle n'avait pas écouté un mot de ce qu'il venait de lui dire.

— A vrai dire, improvisa-t-elle en s'efforçant de dissimuler son embarras, j'étais en train de me demander si vous aviez envie de manger quelque chose.

— Avec plaisir, répondit-il en souriant.

Elle le guida jusqu'à la salle à manger. C'était une grande pièce meublée de façon rustique. Le papier peint légèrement décoloré par le temps, les appliques de style Arts déco et l'épaisse moquette qui recouvrait le sol conféraient aux lieux un charme un peu compassé. La grande cheminée dans laquelle pétillait un joyeux feu de bois ajoutait à la convivialité de l'ambiance.

La plupart des tables étaient disposées de façon à permettre aux convives de discuter entre eux s'ils le désiraient. Quelques-unes, au contraire, étaient installées un peu à l'écart pour ménager l'intimité de ceux qui y étaient attachés.

Taylor parcourut la pièce des yeux et hocha la tête d'un air appréciatif.

— Parfait, murmura-t-il comme pour lui-même.

A cet instant, ils furent rejoints par un homme corpulent qui s'inclina galamment devant B.J.

— Si la musique est la pâture de l'amour, jouez encore ! s'exclama-t-il avec emphase.

— Donnez-m'en jusqu'à l'excès, répondit la jeune femme. En sorte que ma faim gavée languisse et meure.

L'homme éclata de rire et, après un dernier petit salut, s'éloigna en direction de l'une des tables disponibles.

— Shakespeare ? s'étonna Taylor. A l'heure du déjeuner ?

Malgré elle, B.J. ne put s'empêcher de sourire.

— Vous venez de faire la connaissance de M. Leander. Il vient à l'auberge deux fois par an depuis plus de dix ans. Il était comédien dans une petite troupe shakespearienne et ne peut s'empêcher de déclamer des vers en toute occasion.

— Et vous lui donnez toujours la réplique ?

— J'adore Shakespeare. Mais j'avoue que je révise un peu chaque fois qu'il effectue une réservation.

— Cela fait-il partie des prestations que vous offrez à vos clients ? demanda Taylor en souriant.

— En quelque sorte.

Elle parcourut la pièce du regard et choisit une table à prudente distance des Dobson, de jumeaux facétieux dont elle jugeait avisé de se tenir à l'écart. Tandis qu'ils prenaient place, Dot s'approcha d'eux et jeta à Taylor un regard admiratif.

— B.J., Wilbur vient d'apporter des œufs et ils sont toujours aussi petits. Elsie est folle de rage.

— Je m'en occupe, soupira la jeune femme. Prends la commande de M. Taylor. Excusez-moi, ajouta-t-elle à l'intention de ce dernier, je vais devoir vous laisser. Bon appétit. Et n'hésitez pas à m'appeler si vous avez la moindre question ou si quelque chose n'est pas à votre convenance.

Sur ce, B.J. s'éloigna en direction de la cuisine, soulagée d'avoir enfin un prétexte pour échapper à la présence aussi troublante qu'exaspérante de Taylor Reynolds.

Durant les heures qui suivirent, son attention fut monopolisée par une foule de détails qui détournèrent son esprit du magnat de l'hôtellerie et de ses grands projets.

Elle dut convaincre les jumeaux Dobson de relâcher les grenouilles qu'ils gardaient dans la baignoire de leur chambre, au grand mécontentement de leur voisin de palier que les coassements des batraciens tenaient éveillé une bonne partie de la nuit.

Elle tenta ensuite de consoler une femme de chambre que sa récente rupture avec son petit ami rendait sujette à des crises de larmes aussi incontrôlables qu'embarrassantes pour les clients.

Mais, comme l'après-midi touchait à sa fin, B.J. finit par s'étonner de ne pas avoir croisé Taylor. Elle se demanda ce qu'il avait bien pu faire de sa journée et finit par conclure qu'il était probablement resté enfermé dans son bureau pour éplucher ses livres de comptes et imaginer où il pourrait faire construire ses courts de tennis et son Jacuzzi.

A l'heure du dîner, la jeune femme s'accorda une pause et monta dans sa chambre pour lire. Lorsqu'elle redescendit vers 22 heures, la salle à manger était quasiment déserte. Quelques clients s'attardaient au bar, discutant à mi-voix tandis que le pianiste improvisait sur un thème de jazz.

Une fois de plus, elle ne vit pas trace de Taylor Reynolds. S'installant à l'une des tables disponibles, elle commanda un cocktail et s'autorisa enfin à réfléchir à la situation dans laquelle elle se trouvait.

Il lui restait deux semaines pour convaincre le nouveau propriétaire des lieux de l'absurdité de ses projets insensés. Et, si elle comptait y parvenir, il allait lui falloir faire preuve d'un peu plus de diplomatie qu'elle n'en avait montré le matin même.

Taylor était visiblement un homme très décidé. Il le lui avait prouvé en menaçant de fermer l'auberge pour la forcer à rester. Si elle continuait à lui tenir tête, elle ne réussirait probablement qu'à l'agacer et à renforcer ses convictions.

Face à un homme comme lui, mieux valait faire patte de velours que sortir ses griffes, décida-t-elle. Après tout, il lui avait clairement laissé entendre qu'il n'était pas insensible à son charme et elle marquerait certainement plus de points en lui souriant qu'en lui déclarant une guerre ouverte.

Forte de cette conviction, la jeune femme quitta le bar et gagna la pièce attenante où était installé un poste de télévision. Aucun client ne s'y trouvait et B.J. décida de s'accorder quelques minutes de solitude bien méritées.

Mais comme elle prenait place dans l'un des confortables fauteuils qui entouraient l'écran, elle reconnut le film d'horreur qui était diffusé ce soir-là. Elle ne tarda pas à se laisser happer par l'histoire et à suivre avec fascination les tribulations des malheureuses victimes sur lesquelles s'acharnait un tueur en série.

— Vous savez que vous verriez mieux si vous ne mettiez pas votre main devant vos yeux, fit une voix derrière elle alors qu'à l'écran le psychopathe massacrait une famille à la tronçonneuse.

Surprise, B.J. sursauta et se tourna vers Taylor, qui la contemplait avec amusement.

— Désolé de vous interrompre, s'excusa-t-il. Mais j'avoue que je me demande pourquoi vous regardez ce film alors qu'il vous met dans un tel état.

— C'est une véritable malédiction, répondit-elle avec un rire un peu nerveux. J'adore ce genre de films mais ils me terrifient. J'ai dû voir celui-ci au moins trois fois mais je n'arrive pas à m'y faire. Regardez ! C'est le moment que je préfère…

Taylor se rapprocha d'elle et s'agenouilla auprès de son fauteuil pour regarder la scène. Tous deux suivirent des yeux l'héroïne qui parcourait les couloirs de la maison dans laquelle se cachait le maniaque.

— Quelle gourde ! s'exclama-t-elle. Franchement, n'importe qui ayant un tant soit peu de jugeote sortirait de là en vitesse ou s'enfermerait à double tour dans sa chambre pour appeler la police ! Qu'espère-t-elle faire, avec ce couteau de cuisine ?

Brusquement, le tueur surgit des ténèbres et se rua sur l'héroïne. Aussitôt, B.J. détourna les yeux.

— Je ne peux pas voir ça ! lui dit-elle. Prévenez-moi quand ce sera terminé.

La jeune femme sentit alors le bras de Taylor

entourer ses épaules et il plaqua doucement son visage contre son torse comme pour la protéger. Elle sentit les battements réguliers de son cœur contre sa joue et l'odeur de son corps qui s'insinuait en elle, éveillant une sensation troublante.

D'une main très douce, il effleura ses cheveux, lui arrachant un petit frisson. Instinctivement, elle se raidit et tenta de se dégager mais il la retint contre lui.

— Pas encore ! lui dit-il. Le tueur est toujours là à rôder…

Un instant plus tard, il s'écarta d'elle et lui tapota l'épaule.

— Sauvée par une page de publicité ! s'exclama-t-il en souriant.

Terriblement embarrassée, B.J. se leva et entreprit de ranger les magazines éparpillés sur la table basse pour se donner une contenance. Taylor la regardait faire avec une pointe d'amusement qui l'agaça prodigieusement.

— Je voulais m'excuser au sujet de ce qui s'est passé cet après-midi, lui dit-elle d'une voix aussi professionnelle que possible. Et également pour ne pas avoir pu finir de vous faire visiter l'auberge.

— Ce n'est pas grave, répondit-il sans la quitter des yeux. J'ai exploré les lieux par moi-même. Et j'ai même réussi à discuter un peu avec Eddie entre deux urgences. Il a l'air de prendre son travail très à cœur !

— C'est vrai, acquiesça la jeune femme. Je suis certaine qu'il fera un excellent gérant dans quelques années. Tout ce qui lui manque, c'est un peu d'expérience.

— Venant de quelqu'un d'aussi jeune que vous, c'est une remarque intéressante.

— L'expérience n'est pas une question d'âge mais d'années passées à exercer un métier, déclara B.J. un peu sèchement.

— Vous avez raison. D'ailleurs, ma remarque n'était pas une critique, lui assura Taylor. J'ai parlé avec plusieurs clients et tous semblent vous tenir en très haute estime.

S'approchant de B.J., il écarta une mèche de cheveux qui lui tombait sur l'œil.

— Au fait, qu'est-ce qu'elles représentent ? demanda-t-il en effleurant sa joue du bout des doigts.

— Quoi donc ? demanda celle-ci, plus troublée qu'elle ne l'aurait souhaité.

— Les initiales de votre prénom.

— C'est un secret très bien gardé, répondit-elle. Même ma mère n'est pas au courant.

Derrière elle, l'héroïne du film poussa un cri strident, la faisant sursauter violemment. Sans savoir comment, elle se retrouva de nouveau nichée entre les bras de Taylor. Aussitôt, elle fit mine de se dégager mais il secoua la tête.

— Non, lui dit-il d'une voix très douce en caressant légèrement sa joue. Cette fois, je ne vous laisserai pas vous échapper aussi facilement.

Avant même qu'elle ait eu le temps de protester, il se pencha vers elle et l'embrassa. Ce n'était pas un baiser tendre et séducteur. C'était une conquête destinée à obtenir une reddition complète et inconditionnelle. Il l'attira contre lui, pressant son corps contre le sien.

Sa langue trouva celle de la jeune femme et il redoubla d'audace, lui mordillant les lèvres et laissant ses mains courir le long de son dos. Malgré elle, B.J. se trouva emportée par cette étreinte.

Elle eut brusquement l'impression que son corps tout entier s'embrasait tandis qu'un mélange de désir et de terreur s'emparait d'elle. Incapable de résister à la violence de sa propre réaction, elle rendit à Taylor son baiser, s'émerveillant presque de l'intensité de ses propres sensations.

Jamais personne ne l'avait embrassée de cette façon. Il y avait quelque chose de vertigineux dans le pouvoir qu'il exerçait sur elle en cet instant. C'était presque comme si son corps s'était soudain libéré du joug de son esprit pour exprimer une passion trop longtemps réprimée.

Lorsque Taylor la libéra enfin, elle était pantelante, vaincue, incapable de trouver la force de protester ainsi qu'elle aurait probablement dû le faire.

— C'était très agréable, dit-il d'une voix un peu rauque.

Il caressa doucement sa joue et sourit d'un air presque espiègle.

— Nous pourrions peut-être recommencer, suggéra-t-il.

Alors qu'il se rapprochait de nouveau d'elle, B.J. plaça ses mains sur sa poitrine pour le repousser. Elle n'était pas certaine de pouvoir résister à un nouvel assaut de ce genre et avait besoin de temps pour comprendre ce qui venait de lui arriver.

— Je ne crois pas que ce soit une bonne idée, monsieur Reynolds, objecta-t-elle aussi froidement qu'elle le put.

— Taylor, lui rappela-t-il en la regardant droit dans les yeux. Ce matin, ajouta-t-il, lorsque nous étions dans votre bureau, je me suis dit qu'il serait plaisant d'apprendre à mieux vous connaître. Je ne pensais pas que cela irait aussi vite.

— Monsieur Reynolds...

— Taylor.

— Taylor, répéta-t-elle, j'aimerais savoir si vous agissez de cette façon avec tous les gérants de vos hôtels.

Si elle avait espéré le blesser par cette remarque,

elle fut très déçue. Car il se contenta d'éclater de rire.

— Ce que nous venons de faire n'a absolument aucun rapport avec l'auberge ou la façon dont elle est gérée, répondit-il enfin. Je ne fais que céder à mon irrésistible attirance pour les femmes qui portent des couettes.

Il fit mine de la reprendre dans ses bras, mais elle le repoussa violemment.

— Je ne veux pas ! s'exclama-t-elle, terrifiée.

Il dut percevoir la détresse qui perçait dans sa voix car il s'immobilisa aussitôt et hocha la tête.

— Très bien, dit-il. Comme vous voudrez. Mais, même si cela prend plus de temps, je finirai par l'emporter.

— Ce n'est pas un jeu ! protesta B.J.

Taylor s'écarta d'elle et plongea les mains dans ses poches. Il étudia attentivement le visage de la jeune femme, qui trahissait un mélange de colère et de désarroi.

— C'est intrigant, déclara-t-il enfin. Il y a en vous quelque chose de tout à la fois innocent et provocateur.

— Ecoutez, s'exclama B.J., que son comportement rendait folle, je ne le fais pas exprès et je n'ai jamais cherché à vous intriguer ! La seule chose qui m'importe, pour le moment, c'est de vous convaincre de ne pas toucher à cette auberge.

Lorsque j'y serai parvenue, je serai ravie de vous voir repartir pour votre loft de New York.

Sans lui laisser le temps de répondre, elle tourna les talons et quitta la pièce à grands pas.

Chapitre 3

En se levant ce matin-là, B.J. décida que Taylor Reynolds portait l'entière responsabilité de la scène embarrassante qui s'était jouée entre eux la veille. Elle décida pourtant de se cantonner à un professionnalisme sourcilleux afin d'éviter la moindre ambiguïté.

Tout en enfilant son tailleur le plus strict, elle repensa au plaisir qu'elle avait éprouvé lorsque Taylor l'avait embrassée et à la façon pitoyable dont elle l'avait supplié de ne pas recommencer.

Si seulement elle avait su trouver une réplique cinglante pour refroidir les ardeurs de ce goujat, songea-t-elle. Mais, pour cela, il aurait fallu qu'elle puisse contrôler la façon dont elle avait réagi à ce baiser.

Jamais encore elle ne s'était sentie aussi profondément troublée. Son corps tout entier s'était brusquement embrasé et son esprit avait perdu tout contrôle, assistant impuissant à sa propre démission. Tout en sachant qu'elle était en train de commettre une erreur, elle avait répondu avec passion à cette étreinte et s'y était noyée avec délice.

Avec le recul, elle chercha à se convaincre que c'était parce que Taylor l'avait surprise, parce qu'elle n'avait pas eu le temps de comprendre ce qu'il s'apprêtait à faire. A présent, elle connaissait le risque qu'elle courait en le laissant prendre l'initiative et serait prête à le repousser s'il s'avisait de recommencer.

Elle ne pouvait se permettre de céder au magnétisme qu'il exerçait sur elle alors que son propre avenir professionnel et celui de tout le personnel de l'auberge étaient en jeu.

D'ailleurs, Taylor et elle ne partageaient rien : ils étaient issus de deux mondes différents que tout opposait, en dehors de cette regrettable attirance d'ordre purement physique.

Ne le lui avait-il pas amplement prouvé en exerçant sur elle cet odieux chantage ?

Comme elle se rappelait leur confrontation à ce sujet, la jeune femme réalisa que, hélas, c'était lui qui tenait toutes les cartes en main. Après tout, elle était son employée et n'avait aucune légitimité pour s'opposer à ses projets, si ridicules soient-ils.

Et si elle voulait avoir la moindre chance de l'emporter, il allait falloir jouer serré. Mais B.J. n'était pas le genre de femme à se laisser décourager par un tel défi. Tant qu'elle conserverait la moindre chance de convaincre Taylor de préserver l'auberge, elle continuerait à se battre.

Forte de cette décision, elle quitta sa chambre et descendit au rez-de-chaussée. Comme souvent le dimanche matin, l'hôtel était calme. Les clients dormaient tard et descendaient par petits groupes pour prendre leur petit déjeuner.

En temps normal, B.J. en profitait pour se consacrer à des tâches administratives et rattraper le retard qu'elle avait accumulé durant la semaine. Avant de gagner son bureau, elle décida néanmoins de passer par la salle à manger pour prendre un café et s'assurer que tout était en ordre.

Là, elle eut la désagréable surprise de découvrir que Taylor était déjà levé.

— Quelle chance ! s'exclama-t-il d'un ton parfaitement cordial. Moi qui pensais déjeuner seul…

A contrecœur, la jeune femme prit place en face de lui et lui décocha un sourire aussi froid que poli.

— J'espère que vous avez bien dormi, lui dit-elle.

— Merveilleusement ! Votre brochure ne ment pas. Cet endroit est d'un calme étonnant.

— Je suis ravie de vous l'entendre dire, monsieur Reynolds, répondit-elle en insistant sur l'emploi de son nom de famille.

— Je dois dire que, jusqu'à présent, je ne suis

pas déçu par cet endroit. Il correspond en tout point à l'idée que je m'en étais faite.

Maggie s'approcha d'eux, arborant une expression rêveuse. B.J. comprit aussitôt qu'elle devait penser à la soirée qu'elle avait passée avec Wally, son petit ami.

— Je prendrai du café et des toasts, dit-elle d'un ton légèrement insistant.

Prise en faute, Maggie rougit et hocha la tête.

— Moi aussi, dit Taylor, amusé.

Lorsque la serveuse se fut éloignée en direction de la cuisine, il observa attentivement B.J., qui sentit aussitôt renaître en elle le malaise qu'il lui inspirait.

— Vous savez, déclara-t-il enfin, je suis impressionné par la façon dont vous dirigez votre personnel.

— Pourquoi dites-vous cela? demanda-t-elle, étonnée.

— Cette fille avait visiblement l'esprit ailleurs. Mais il vous a suffi d'un regard pour lui rappeler ses responsabilités.

— C'est probablement parce que nous nous connaissons bien. Je serais prête à parier que Maggie pensait à Wally et au film que tous deux sont allés voir au cinéma, hier soir.

— Je vois, acquiesça Taylor en riant.

— A mes yeux, reprit-elle, les membres du

personnel doivent former une famille. Cela permet de créer une atmosphère moins formelle, plus détendue. Nos clients le sentent et c'est l'une des choses qu'ils apprécient lorsqu'ils viennent ici.

La jeune femme s'interrompit tandis que Maggie revenait avec leur commande.

— Dois-je comprendre que vous avez un a priori contre les clubs de vacances ? demanda Taylor lorsque la jeune serveuse se fut éloignée.

B.J. hésita quelques instants avant de répondre, cherchant les mots justes.

— Non, dit-elle enfin. Simplement, ces centres ont une fonction totalement différente de celle de l'auberge. Les clients qui les fréquentent s'attendent à se voir proposer une foule d'activités différentes. Ici, au contraire, ils viennent pour se détendre et se délasser. Ils aiment prendre leur temps. Certains vont à la pêche, d'autres font un peu de ski de fond en hiver. Mais la plupart préfèrent se promener et jouir simplement de la tranquillité des lieux. Et nous nous efforçons de leur offrir le calme et le confort qu'ils recherchent. Je crois que c'est tout l'intérêt de Lakeside Inn…

— Cela reste à prouver, objecta Taylor.

Il s'était exprimé d'un ton affable mais, dans ses beaux yeux noirs, B.J. vit briller d'autres ambitions qu'elle était certaine de ne pas partager.

— L'aube aux yeux gris couvre de son sourire la nuit grimaçante…

Levant la tête, B.J. découvrit le visage sympathique de M. Leander, qui lui souriait, attendant qu'elle lui donne la réplique.

— Et diapre de lignes lumineuses les nuées d'Orient, répondit-elle sans hésiter.

Leander s'inclina et s'éloigna d'un pas étonnamment léger pour un homme de sa corpulence.

— Un jour, il vous prendra en défaut, fit observer Taylor en le suivant des yeux.

— La vie n'est qu'une succession de risques, répondit-elle en souriant. Mieux vaut les accepter comme ils viennent.

Se tournant vers elle, Taylor posa sa main sur la sienne, lui arrachant un frisson.

— Si vous le pensez vraiment, les jours qui viennent risquent d'être fascinants, murmura-t-il d'une voix lourde de sous-entendus.

Avec une pointe d'angoisse, B.J. se demanda s'il fallait y voir une promesse ou un avertissement.

A travers la fenêtre entrouverte, on pouvait apercevoir les pelouses verdoyantes du parc qui entourait l'auberge et le ciel d'azur. Le pépiement des oiseaux et l'odeur de l'herbe fraîchement coupée constituaient une invitation presque irrésistible à la promenade.

Mais B.J. et Taylor ne prêtaient guère attention à ce panorama idyllique. Enfermés dans le bureau de la jeune femme, ils venaient de passer en revue tous les documents administratifs ayant trait à la vie de l'hôtel : livres de comptes, fiches de paie des employés, commandes aux fournisseurs, budget pour l'année en cours…

B.J. avait présenté en détail le bilan de ses activités et pensait s'être tirée avec brio de cet exigeant exercice. Taylor l'avait écoutée avec beaucoup d'attention avant de la féliciter pour la précision de son exposé et la qualité de son travail.

Puis il lui avait posé toutes sortes de questions qui lui prouvèrent, s'il en était besoin, qu'il connaissait son métier à la perfection. Ainsi, malgré leurs différends, ils étaient parvenus à gagner un certain respect mutuel.

Au moins, songea-t-elle, Taylor ne paraissait plus la considérer comme une adolescente attardée, incapable de gérer l'auberge. Elle se prit même à espérer qu'il verrait à présent d'un œil plus favorable les recommandations qu'elle pourrait lui faire.

— Je remarque que vous vous approvisionnez en grande partie auprès des fermes de la région, remarqua Taylor, qui parcourait le facturier.

— C'est exact, acquiesça-t-elle. Cela profite à tout le monde. Nos produits sont de première fraîcheur et nous contribuons à dynamiser l'économie locale. Lakeside Inn joue un rôle non négligeable dans l'équilibre de la région : nous fournissons des emplois, nous consommons divers produits et services et nous attirons des clients qui font vivre les boutiques des environs.

Comme Taylor s'apprêtait à lui répondre, Eddie ouvrit la porte et pénétra dans le bureau, arborant une expression angoissée.

— B.J., s'exclama-t-il, les Bodwin sont arrivées !

Réprimant un soupir résigné, la jeune femme se tourna vers Taylor, qui la contemplait avec une pointe d'étonnement.

— A l'entendre, ces Bodwin doivent s'apparenter aux sept plaies d'Egypte, déclara-t-il.

— Vous n'êtes pas très loin de la vérité, concéda-t-elle. Si vous voulez bien m'excuser, je n'en ai que pour une minute.

B.J. quitta la pièce et se dirigea à grands pas vers la réception. Là, les deux sœurs Bodwin l'attendaient. Elles se ressemblaient comme deux gouttes d'eau : grandes et décharnées, elles arboraient le même visage ridé, les mêmes yeux perçants, le même nez en bec d'aigle surmonté de lunettes à monture d'acier.

— Mademoiselle Patience, mademoiselle Hope, s'exclama la jeune femme, faisant visiblement des efforts d'amabilité. Je suis ravie de vous revoir !

— C'est toujours un plaisir pour nous de

revenir chez vous, déclara Patience d'une voix claironnante.

— Tout à fait, murmura sa sœur.

— Eddie, prends les bagages de ces demoiselles et installe-les dans leur chambre habituelle.

Eddie hocha la tête et s'exécuta, visiblement ravi d'échapper momentanément aux deux harpies. B.J. vit alors Taylor sortir du bureau et se diriger vers eux.

— Mesdemoiselles, je vous présente Taylor Reynolds, déclara-t-elle. C'est le nouveau propriétaire de l'auberge.

— Enchanté de faire votre connaissance, les salua ce dernier avant de leur serrer la main.

B.J. eut la stupeur de voir Hope Bodwin rougir légèrement à ce contact. Décidément, songea-t-elle, Taylor semblait exercer la même fascination sur toutes les femmes.

— Mes félicitations, jeune homme, lui dit alors Patience. Vous avez acquis une excellente maison. Mlle Clark est une gérante hors pair et j'espère que vous saurez la récompenser à la hauteur de ses mérites.

Taylor décocha à B.J. un sourire amusé et posa doucement la main sur son épaule.

— Je suis tout à fait convaincu des qualités de Mlle Clark, certifia-t-il. Soyez assurées, mesdemoiselles, que je saurai lui témoigner toute ma gratitude.

Le sous-entendu qui perçait dans sa voix n'échappa pas à la jeune femme. Elle se déplaça de façon à dégager son épaule.

— Je vais demander qu'on prépare votre table habituelle, mesdemoiselles, déclara-t-elle en indiquant la salle à manger sur le seuil de laquelle venait d'apparaître Maggie. Donnez-leur la numéro deux, ajouta-t-elle à l'intention de la serveuse. Et veillez à ce qu'elles ne manquent de rien.

— Merci, mademoiselle Clark, répondit Patience Bodwin. Vous êtes adorable.

Sur ce, les deux sœurs s'éloignèrent en direction du restaurant.

— Vous leur donnez la table numéro deux ? s'étonna Taylor. Je croyais qu'elle était faite pour six.

— C'est exact. Mais c'est celle que préfèrent les sœurs Bodwin. M. Campbell la leur attribue toujours.

— Vous oubliez que M. Campbell n'est plus le propriétaire des lieux.

— Et alors ? répliqua durement B.J. Voulez-vous que je leur refuse leur table ? Que je les fasse manger dans la cuisine ? Vous êtes peut-être habitué à parcourir des bilans et des livres de comptes mais je crois que vous manquez de discernement lorsqu'il s'agit de vos clients. Les gens ne sont pas de simples numéros et on ne peut pas les placer où l'on veut simplement parce que cela nous arrange !

A la grande surprise de la jeune femme, Taylor éclata de rire.

— Vous savez que vous avez un caractère impossible ! s'exclama-t-il joyeusement. Je n'arrive pas à comprendre pourquoi vous déformez toujours mes paroles.

— Mais c'est vous qui m'avez demandé de donner une autre table aux sœurs Bodwin ! protesta vivement B.J.

— Vous devriez apprendre à écouter les autres, répliqua Taylor. J'ai simplement dit que j'étais surpris que vous attribuiez une table pour six à deux personnes.

— Très bien, soupira-t-elle. Dans ce cas, dites-moi ce que vous auriez fait à ma place.

— Exactement la même chose que vous, B.J., répondit-il en haussant les épaules. Je ne vois pas de raison de troubler les habitudes de vos clients tant qu'il y a assez de tables libres.

B.J. serra les dents, luttant désespérément pour conserver son calme. Dans les yeux de Taylor, elle lisait une lueur d'amusement qui la rendait folle de rage. Mais force était de reconnaître qu'une fois de plus elle l'avait laissé la pousser à bout sans raison.

— Monsieur Reynolds…, commença-t-elle.

— Taylor, la reprit-il. J'ai remarqué que vous appeliez tous vos collaborateurs par leurs prénoms mais que vous évitiez toujours d'employer le mien. C'est un peu vexant, vous savez…

Taylor posa ses mains sur les épaules de la jeune femme. Lorsqu'elle essaya de se dégager, il raffermit son emprise et la regarda droit dans les yeux.

— Allons, insista-t-il. Ce n'est pas si difficile que cela. Essayez…

Le cœur battant, B.J. sentit son corps tout entier réagir à la proximité de Taylor. C'était une sensation terriblement troublante. Une douce chaleur se répandait en elle, éveillant des fourmillements sur sa peau et la faisant frissonner malgré elle. Furieuse et impuissante, elle prenait une fois de plus toute la mesure de l'attraction qu'il exerçait sur elle.

— Taylor…, protesta-t-elle faiblement.

— Très bien, acquiesça-t-il. J'adore entendre mon prénom dans votre bouche. J'espère que vous le prononcerez plus souvent, désormais.

B.J. ne répondit pas, se contentant de le contempler avec défiance.

— Dites, B.J., est-ce que par hasard je vous ferais peur ?

— Non, balbutia-t-elle d'une voix mal assurée. Pas du tout, ajouta-t-elle en s'efforçant de paraître plus convaincue.

— Vous savez que vous êtes une piètre menteuse ! s'exclama Taylor en riant.

Sans attendre sa réponse, il se pencha vers elle et effleura sa bouche de la sienne, la faisant frémir de la tête aux pieds. Il ne cherchait pas vraiment à l'embrasser, se contentant de la caresser du bout des lèvres, éveillant en elle une passion incoercible.

Finalement, incapable de résister à ce supplice de Tantale, elle se pressa contre lui et lui rendit son baiser avec une ardeur qui la surprit elle-même. Mais c'était plus fort qu'elle. Pour la première fois de sa vie, elle se sentait absolument incapable de résister à la tentation.

Bien sûr, elle regretterait probablement par la suite d'avoir cédé aussi facilement mais, pour le moment, tout ce qui comptait, c'était de sentir la bouche de Taylor contre la sienne et ses mains qui avaient glissé de ses épaules pour se poser sur ses hanches.

Le monde entier paraissait avoir disparu pour laisser place au plaisir brûlant qu'il lui offrait. Mais, lorsque leurs lèvres se séparèrent enfin, elle le sentit brusquement refluer pour laisser place à un mélange de honte et de confusion. Pendant quelques instants, tous deux restèrent immobiles.

— Je ferais mieux d'aller m'assurer que tout va bien en cuisine, murmura-t-elle enfin pour dissiper le silence pesant qui s'était installé.

Taylor sourit et, dans ses yeux, elle vit briller une lueur moqueuse.

— Bien sûr, concéda-t-il. Mais vous ne pourrez pas fuir éternellement l'évidence, B.J. Tôt ou tard, vous serez à moi. D'ici là, je saurai bien patienter.

La jeune femme le foudroya du regard.

— C'est incroyable ! s'exclama-t-elle, furieuse. Jamais je n'ai rencontré quelqu'un d'aussi présomptueux ! Je ne suis pas un objet, Taylor ! Et je n'appartiens qu'à moi-même !

— C'est peut-être ce que vous croyez, répondit-il en riant. Mais vous vous trompez. Vous serez à moi. Si j'avais le moindre doute à ce sujet, vous venez de le dissiper avec brio.

B.J. serra les poings, luttant de toutes ses forces contre la tentation qu'elle avait de le gifler.

— Je n'ai absolument pas l'intention de figurer au nombre de vos trophées, monsieur Reynolds, articula-t-elle d'une voix glaciale.

Sur ce, elle tourna les talons et se dirigea vers le restaurant, s'efforçant de ne pas se laisser déstabiliser par le sourire ironique de Taylor, qui la suivait des yeux.

Chapitre 4

Le lundi était toujours la journée la plus chargée pour B.J. Elle était d'ailleurs intimement convaincue que, si quelque calamité devait se produire, ce serait ce jour-là, justement parce qu'elle n'aurait pas le temps de gérer la crise de façon satisfaisante.

Evidemment, la présence de Taylor Reynolds dans son bureau ne rendait pas les choses plus faciles. Elle n'avait pas oublié ce qu'il lui avait dit la veille et lui en voulait toujours pour l'arrogance dont il avait fait preuve à son égard.

Pourtant, elle était bien décidée à ne pas laisser leurs différends personnels prendre le pas sur leurs relations de travail. D'une voix glaciale, elle lui détailla donc chaque coup de téléphone qu'elle passait, chaque lettre qu'elle rédigeait et chaque facture qu'elle réglait.

Il l'accuserait peut-être d'être distante et insensible mais certainement pas de ne pas se montrer coopérative.

Taylor, quant à lui, avait opté pour une attitude tout aussi professionnelle. Il se garda de toute allusion déplacée, se contentant de la traiter avec une politesse sourcilleuse et d'ignorer la froideur ostensible dont elle faisait preuve à son égard.

Jamais elle n'avait rencontré un homme aussi maître de lui. Rien ne paraissait le toucher. Bien sûr, cela ne faisait qu'alimenter la colère et la frustration de la jeune femme. Elle fut même tentée de renverser sa tasse de café sur son beau costume pour voir s'il prendrait la chose avec autant de philosophie.

— J'ai raté quelque chose ? demanda alors Taylor.

— Pardon ?

— Pour la première fois de la journée, vous étiez en train de sourire.

B.J. rougit et détourna les yeux, s'efforçant de retrouver un semblant de contenance.

— Je suis désolée, répondit-elle. Je pensais à autre chose. Si vous voulez bien m'excuser, ajouta-t-elle en se levant, je vais aller m'assurer que le ménage a bien été fait dans les chambres. Voudrez-vous prendre votre déjeuner ici ou dans la salle à manger ?

— Dans la salle à manger, répondit Taylor en s'adossant confortablement à son siège. Est-ce que vous me tiendrez compagnie ?

— Je suis désolée, s'excusa la jeune femme d'une voix faussement contrite. Mais j'ai beaucoup de choses à faire, aujourd'hui. Néanmoins, je vous recommande le rosbif. Il est succulent.

Taylor hocha la tête et la suivit des yeux en silence tandis qu'elle quittait la pièce. Soulagée, B.J. gravit l'escalier pour aller inspecter les chambres.

Au cours de l'après-midi qui suivit, elle parvint habilement à éviter Taylor. Il lui fallut pour cela redoubler de méfiance et d'habileté et ce petit jeu de cache-cache l'amusa beaucoup. Evidemment, tôt ou tard, elle serait obligée de se retrouver en face de lui. Mais elle ne se sentait pas encore prête à le faire.

L'heure du dîner approchait et l'auberge était parfaitement silencieuse. La plupart des clients s'étaient retirés dans leur chambre en attendant l'ouverture du restaurant et les couloirs étaient déserts.

En chantonnant, B.J. se dirigea vers la lingerie pour vérifier l'état des stocks de draps, de taies d'oreiller et de serviettes. Après avoir calculé ce dont ils auraient besoin pour la période estivale, elle nota sur son calepin la commande qu'elle enverrait dès le lendemain à son fournisseur. Puis elle s'intéressa aux réserves de produits de toilette que l'hôtel mettait gracieusement à la disposition de ses clients.

Tandis qu'elle effectuait ces tâches familières,

elle se prit à rêver aux promenades qu'elle ferait durant la belle saison, aux excursions en barque sur le lac, aux longues soirées qu'elle passerait sur la terrasse de l'auberge.

Ces rêveries plaisantes ne tardèrent pourtant pas à se teinter d'une légère impression de malaise. Pour la première fois de sa vie, elle se prit à regretter de ne pas avoir à ses côtés quelqu'un avec qui elle aurait pu partager ces moments privilégiés.

Jusqu'alors, la jeune femme n'avait jamais souffert de la solitude. Après tout, elle vivait dans une auberge et il y avait toujours du monde autour d'elle : les employés qui travaillaient à ses côtés, les clients de passage et les habitués avec lesquels elle s'était liée d'amitié...

Mais elle réalisa brusquement qu'elle n'en était pas moins seule. Elle n'avait personne pour l'entraîner main dans la main au bord du lac, les soirs où la lune était pleine, pour partager ses secrets, ses doutes, ses joies et ses angoisses, pour discuter de tout et de rien pendant des heures au gré de sa fantaisie.

Chaque fois qu'on lui avait parlé de mariage ou de relation stable, elle avait éludé la question. Peut-être parce qu'elle ne se sentait pas prête à endosser de telles responsabilités. Peut-être parce qu'elle rêvait encore au prince charmant, à un mystérieux inconnu qui saurait éveiller en elle une vertigineuse passion.

Ce serait un homme charismatique, fort, sûr de lui et, bien entendu, terriblement beau.

Un homme comme Taylor Reynolds.

Cette pensée prit B.J. de court et elle se figea brusquement, le cœur battant à tout rompre.

Naturellement, force était de constater qu'il existait entre eux une certaine alchimie. Les baisers qu'ils avaient échangés le prouvaient de façon incontestable. Il était aussi très beau. Et doué d'une intelligence aiguë. Et d'un charisme indéniable...

Mais il était aussi arrogant, suffisant et égoïste. Et il avait le don de la mettre hors d'elle.

N'était-ce pas justement parce qu'au fond il l'attirait ? lui souffla une petite voix pernicieuse.

— Non, déclara-t-elle résolument. Je n'ai vraiment pas besoin de quelqu'un comme lui !

Cette affirmation la rasséréna quelque peu et elle se dirigea vers la porte de la lingerie d'un pas décidé. Mais, lorsqu'elle l'ouvrit, ce fut pour se trouver nez à nez avec Taylor Reynolds.

Malgré elle, elle sursauta, comme prise en faute. Il l'observa d'un air amusé.

— Vous êtes drôlement nerveuse, remarqua-t-il. Et vous marmonnez toute seule. Peut-être avez-vous besoin de vacances...

— Je...

— De longues vacances, ajouta-t-il en lui caressant doucement la joue.

B.J. se raidit, furieuse.

— C'est vous qui m'avez fait peur, protesta-t-elle. Que faites-vous ici ?

— Il faut croire que je jouais à cache-cache, tout comme vous, répondit-il avec un sourire sardonique.

— Je ne vois vraiment pas de quoi vous voulez parler, répliqua B.J. avec une parfaite mauvaise foi.

En réalité, elle était mortifiée d'avoir été percée à jour aussi facilement.

— Si vous voulez bien m'excuser, reprit-elle en faisant mine de s'éloigner.

— Savez-vous que, lorsque vous êtes en colère, une petite ride verticale apparaît entre vos sourcils ?

— Je ne suis pas en colère, répondit-elle d'une voix glaciale. Je suis juste très occupée.

Sa froideur ne parut pas le décourager le moins du monde. Au contraire, son sourire s'élargit encore. B.J. maudit intérieurement le trouble qu'elle éprouvait lorsqu'elle se trouvait en sa présence.

— Taylor, si vous voulez me dire quelque chose en particulier, je vous écoute.

— A vrai dire, je tenais à vous transmettre un message.

Il tendit la main vers son front, qu'il effleura

du bout du doigt, comme pour faire disparaître le froncement de sourcils de la jeune femme.

— Un message des plus intrigant, reprit-il.

— Vraiment ? dit-elle en reculant nerveusement pour échapper à cette caresse qui la troublait bien plus qu'elle ne l'aurait voulu. De quoi s'agit-il ?

— Je l'ai noté pour être certain de ne commettre aucune erreur, répondit Taylor.

Il tira un petit papier de la poche intérieure de sa veste et le déplia.

— C'est de la part d'une certaine Mme Peabody, lut-il. Elle voulait vous dire que Cassandra a accouché. Elle a eu quatre filles et deux garçons. Des sextuplés. C'est incroyable, non ?

— Pas lorsqu'il s'agit d'une chatte, répondit la jeune femme en souriant malgré elle. Mme Peabody est l'une de nos plus vieilles clientes. Elle vient à l'auberge deux fois par an.

— Je vois, acquiesça Taylor, amusé par sa propre méprise. En tout cas, j'ai fait mon devoir. A vous de faire le vôtre.

La prenant par la main, il l'entraîna en direction de l'escalier.

— L'air de la campagne m'a ouvert l'appétit, déclara-t-il. Vous connaissez le menu du soir et vous pourrez commander pour nous !

— C'est impossible, protesta-t-elle.

— Au contraire, s'exclama Taylor d'un ton

malicieux. Je séjourne dans cette auberge. Or vous m'avez dit que vous faisiez toujours de votre mieux pour satisfaire vos clients. Je vous demande juste de dîner en ma compagnie. Ce n'est tout de même pas si terrible, si ?

A contrecœur, B.J. dut se rendre à ses arguments. Si elle avait insisté, elle serait apparue comme une enfant entêtée et elle ne tenait pas à se ridiculiser une fois de plus aux yeux de Taylor.

Résignée, elle le suivit donc jusqu'à la salle à manger, où ils prirent place à l'une des tables disponibles. Le repas ne fut pas aussi terrible qu'elle l'avait craint. En fait, elle s'aperçut même que Taylor pouvait être un compagnon des plus agréable lorsque la fantaisie lui en prenait.

Il se montra tout à fait charmant et tous deux discutèrent de politique, des films qu'ils avaient vus récemment, des livres qu'ils avaient aimés et de leurs études respectives.

B.J. dut reconnaître que Taylor ne manquait pas d'humour et se surprit à plusieurs reprises à rire à gorge déployée tandis qu'il lui racontait quelques-unes des anecdotes les plus savoureuses à propos de ses études à l'université.

Elle fut plus étonnée encore de découvrir en lui un auditeur attentif. Il lui posa de nombreuses questions sur sa famille, sur son enfance et sa vie à Lakeside et écouta les réponses qu'elle lui donna, paraissant réellement s'intéresser à ce qu'elle disait.

La jeune femme finit par regretter qu'ils ne se soient pas rencontrés en d'autres circonstances. Car si elle n'avait pas su quel tyran Taylor pouvait être en affaires, elle serait certainement tombée sous son charme.

Hélas, quelles que soient les qualités dont il faisait preuve, il n'en restait pas moins l'homme qui l'avait menacée de renvoyer tout le personnel de l'hôtel pour obtenir ce qu'il désirait, celui qui avait décidé de transformer Lakeside Inn en complexe touristique et qui s'était conduit à son égard de façon plus que cavalière.

Et, chaque fois qu'elle était sur le point de céder au dangereux pouvoir de séduction qui émanait de lui, elle se forçait à se rappeler tout cela et à reprendre de la distance. Tous deux étaient en guerre et elle n'était pas encore prête à rendre les armes.

Comme le repas touchait à sa fin et qu'ils étaient en train de prendre leur café, Eddie s'approcha de leur table.

— Monsieur Reynolds ? Vous avez un appel de New York.

— Merci, Eddie, répondit Taylor. Je le prendrai dans le bureau. Je n'en aurai pas pour longtemps, ajouta-t-il à l'intention de B.J.

— Inutile de vous dépêcher à cause de moi, lui assura la jeune femme. J'ai beaucoup de choses à faire ce soir.

— Je passerai tout de même vous voir plus tard, déclara Taylor d'un ton qui n'admettait pas de réplique.

Leurs regards se croisèrent et elle se prépara à un nouveau conflit. Mais, brusquement, il éclata de rire et se pencha vers elle pour déposer un léger baiser sur son front. Interloquée, elle ne chercha même pas à le repousser ou à protester.

Avant même qu'elle ait pleinement recouvré ses esprits, il avait disparu. D'un geste absent, elle se frotta le front pour chasser la sensation de brûlure qui persistait, à l'endroit précis où s'étaient posées les lèvres de Taylor.

Prenant une profonde inspiration, elle se força à repousser le trouble qui l'habitait et vida sa tasse de café d'un trait avant de quitter le restaurant. Elle se dirigea alors vers le bar.

Là, l'ambiance était très différente. Dans la lumière tamisée, quelques couples installés autour des petites tables réparties dans la pièce discutaient et plaisantaient en sirotant un cocktail ou une pinte de bière.

Une odeur de cigarette, de feu de cheminée et de vieux bois flottait dans l'air. Aux yeux de B.J., cette scène familière avait quelque chose de profondément réconfortant. D'un pas lent, elle s'approcha d'un meuble sur lequel était posé un vieux Gramophone à pavillon.

Elle ouvrit le buffet et s'agenouilla pour passer amoureusement en revue la collection de vieux soixante-dix-huit tours qui y était rangée. Finalement, elle en choisit un et, le tirant de sa pochette, le plaça précautionneusement sur le tourne-disque.

D'une main experte, elle remonta le mécanisme à ressort et lança la platine avant de poser délicatement l'aiguille sur le sillon extérieur. Un discret crachotement se fit entendre, suivi par la voix rauque et sensuelle de Billie Holiday. Quelques couples quittèrent leurs tables et se mirent à évoluer lentement au rythme de la musique.

Durant l'heure qui suivit, B.J. enchaîna les standards de jazz des années 30 et 40, passant des ballades mélancoliques au *ragtime* et au *rythm and blues* le plus endiablé avec l'habileté d'un disc-jockey accompli.

Comme chaque lundi, elle prenait un plaisir immense à voir son public apprécier ces morceaux d'un autre âge. Elle avait souvent remarqué que cette musique avait le don de réunir les auditeurs de toutes générations, peut-être parce que sa simplicité apparente était à la source de tant de courants musicaux divergents. Peut-être aussi parce qu'elle s'accordait parfaitement avec l'ambiance hors du temps qui régnait dans l'auberge.

Au fond, cela n'avait aucune importance, songea-t-elle en souriant. Et, comme à son habitude, elle se contenta de laisser la magie opérer, retrouvant avec bonheur ces chansons qu'elle connaissait par cœur et dont elle ne se lassait jamais.

— Mais qu'est-ce que vous faites ? fit une voix, juste derrière elle, la rappelant brusquement à la réalité.

La jeune femme se retourna pour découvrir Taylor qui l'observait d'un air interloqué.

— Je vois que vous avez fini de téléphoner, lui dit-elle. J'espère qu'il ne s'agissait de rien de grave.

— Rien d'important, éluda-t-il. Puis-je savoir ce qui se passe, ici ?

B.J. le regarda avec une pointe d'étonnement. Puis elle haussa les épaules.

— Je ne sais pas, répondit-elle. Je passe seulement de la musique. Mais asseyez-vous et demandez à Don de vous servir un bon cocktail. Désolée, il va falloir que je change l'aiguille…

Se détournant, elle attendit la fin du morceau pour remplacer l'aiguille du tourne-disque avant de lancer un nouveau soixante-dix-huit tours.

— Je vais aller me chercher un verre, dit-elle alors à Taylor. Vous voulez quelque chose ?

— Je vous l'ai dit : une explication.

— Une explication à propos de quoi ?

— B.J., seriez-vous en train de jouer les ravissantes idiotes ? Je vous connais suffisamment pour ne pas être dupe, vous savez !

— Je suppose que c'est un compliment, répondit la jeune femme d'un ton sarcastique. Du moins ce qui s'en rapproche le plus chez vous. Merci, donc. Mais j'avoue que cela ne m'aide pas pour autant à comprendre votre question.

— Dans ce cas, je vais la reformuler : pourquoi utilisez-vous cette vieillerie alors que le bar est équipé d'une chaîne hi-fi et d'une sono modernes ?

— Vous êtes sérieux ? s'exclama-t-elle. Vous ne comprenez vraiment pas ?

— Non, répondit-il. Il faut croire que c'est moi qui ne suis pas très malin.

— Nous sommes lundi, répondit-elle.

Taylor laissa errer son regard sur la pièce, s'attardant un instant sur les couples qui dansaient.

— Je suppose que cela explique tout, répondit-il enfin avec une pointe d'ironie.

— En quelque sorte, dit-elle très sérieusement. Tous les lundis, je passe de vieux disques. Je suppose que, dans les milieux branchés que vous devez fréquenter, vous appelleriez ça une « soirée rétro ». Quant à ce Gramophone, ce n'est pas une vieillerie, comme vous dites, mais une vénérable antiquité, d'autant plus précieuse qu'elle est encore en parfait état de marche. Je l'ai rénovée moi-même.

— Mais… pourquoi ? demanda Taylor, passablement interdit.

— Pourquoi quoi ? soupira-t-elle avec une pointe d'agacement.

— Pourquoi passez-vous de vieux disques le lundi soir ?

B.J. prit une profonde inspiration, se demandant comment elle aurait pu lui expliquer cela. Alors qu'elle allait répondre, Taylor leva la main.

— Attendez, lui dit-il.

Se détournant, il alla parler à l'un des clients. Quelques instants plus tard, il était de retour avec un sourire satisfait.

— J'ai trouvé quelqu'un pour vous remplacer pendant quelques minutes. Nous discuterons plus tranquillement si vous n'avez pas à vous arrêter toutes les trois minutes pour changer de disque. Venez.

Il la prit par le bras et l'entraîna dehors. L'air frais de la nuit ne contribua pourtant pas le moins du monde à dissiper la colère qui montait en B.J.

— Maintenant, je vous écoute, déclara Taylor en s'adossant au mur de l'auberge.

— Je crois que vous allez me rendre folle ! s'emporta la jeune femme. Comment pouvez-vous être toujours aussi… aussi…

Elle s'interrompit, cherchant vainement le mot juste.

— Borné ? suggéra Taylor. Etroit d'esprit ?

— Exactement ! s'exclama-t-elle. Tout se passait parfaitement bien et voilà que vous arrivez avec vos questions et vos petits airs supérieurs.

Tapant du pied, elle poussa un petit soupir de frustration en avisant le sourire amusé de Taylor.

— Les gens s'amusent, ajouta-t-elle en désignant la salle du bar que l'on apercevait par la fenêtre. Vous avez parfaitement le droit de trouver ce genre de soirée ringarde, dépassée ou tout simplement ennuyeuse. Mais pas d'interdire aux autres d'en profiter ! Tout le monde n'a pas besoin d'un groupe ou des morceaux du top cinquante pour danser !

— Du calme, l'interrompit Taylor en riant. Vous n'êtes pas obligée de vous mettre dans un état pareil.

— C'est à cause de vous, protesta-t-elle.

— Pas du tout, répondit-il. Si vous vous souvenez bien, je me suis contenté de poser une question qui me paraissait parfaitement légitime.

— Et je vous ai répondu. Du moins, je le crois.

Frustrée, elle leva les yeux au ciel.

— Bon sang, soupira-t-elle, comment suis-je censée me rappeler votre question ou ma réponse alors que vous avez bien mis dix minutes à en venir au fait ?

Elle s'interrompit, s'efforçant de retrouver un semblant de calme.

— Très bien, dit-elle enfin. Quelle était donc votre question parfaitement légitime ?

— B.J., je crois que vous épuiseriez la patience d'un saint, fit observer Taylor en secouant la tête. La seule chose que je désirais savoir, c'est pourquoi, en poussant la porte du bar, je m'étais brusquement retrouvé projeté en 1935.

— Parce que, chaque lundi, c'est exactement ce qui se passe depuis plus de cinquante ans. C'est une sorte de tradition à laquelle nos clients réguliers sont très attachés. Bien sûr, nous avons également une sono. Et nous l'utilisons les autres soirs de la semaine en alternance avec des concerts de groupes de la région. Mais le lundi est un jour à part.

— Voilà une réponse parfaitement raisonnable, admit Taylor en s'approchant de la jeune femme. Et je commence même à comprendre l'intérêt d'une telle soirée. Voulez-vous m'accorder cette danse ?

Avant même que B.J. ait eu le temps de lui répondre, il la prit dans ses bras et commença à la faire tourner au rythme d'*Embraceable You,* dont les notes leur parvenaient à travers la fenêtre entrouverte.

Leurs visages étaient si proches l'un de l'autre

qu'elle pouvait sentir son souffle sur ses lèvres. Cette sensation lui arracha un petit frisson.

— Vous avez froid ? lui demanda Taylor.

Elle secoua la tête mais il la serra tout de même un peu plus contre lui et elle sentit la chaleur de son corps s'insinuer en elle, éveillant un trouble aussi dangereux que délicieux. La joue de Taylor reposait à présent contre la sienne et elle ferma les yeux, se laissant aller à cette sensation envoûtante.

— Nous devrions peut-être rentrer, murmura-t-elle sans conviction.

— Certainement, répondit Taylor.

Mais ses lèvres se posèrent sur le lobe de son oreille qu'il caressa du bout de la langue, lui arrachant un petit soupir de plaisir. Elle aurait probablement dû se dégager et lui dire qu'il n'était qu'un goujat et qu'elle ne pouvait plus supporter ce harcèlement continuel.

Elle aurait dû le gifler pour lui faire comprendre une fois pour toutes qu'elle n'était pas intéressée par ses petits jeux, qu'elle n'avait aucune envie de céder à ses avances parfaitement déplacées.

Elle aurait dû démissionner et refuser de rester plus longtemps l'employée de cet homme qui ne paraissait pas faire la différence entre ses intérêts professionnels et ses penchants personnels.

Mais, tandis qu'elle formulait ces pensées parfaitement cohérentes et sensées, elle ne feignit pas de bouger. Prise au piège, elle ne pouvait que s'abandonner à cette inexplicable sérénité qui l'avait envahie.

Tandis que les lèvres de Taylor effleuraient son cou, elle sentit son cœur s'affoler. Sa respiration se fit légèrement haletante et une douce chaleur se répandit en elle, se communiquant à chacun de ses membres.

Rouvrant les yeux, elle contempla le ciel piqueté d'étoiles. Les caresses de Taylor paraissaient être en harmonie parfaite avec l'air frais de la nuit, le chant lointain des hiboux et l'odeur entêtante des jacinthes qui décoraient la balustrade du porche.

Elle se demanda si elle n'était pas victime de quelque sortilège, s'il ne l'avait pas envoûtée. Peut-être tourneraient-ils à jamais au rythme de cette musique qu'elle aimait tant. Curieusement, cette idée avait quelque chose de terriblement séduisant.

Les doigts de Taylor plongèrent dans ses cheveux, la ramenant brusquement à la réalité. Tandis qu'il caressait doucement sa nuque, la jeune femme avait l'impression que sa volonté se dissolvait sous l'effet du bien-être qu'il faisait naître en elle.

Ses sens paraissaient brusquement aiguisés et elle percevait aussi bien le battement puissant et régulier du cœur de Taylor contre sa joue que l'odeur de son corps, la texture de sa peau à travers le tissu de sa chemise ou son souffle brûlant qui effleurait sa peau.

Ces sensations alimentaient en elle un besoin qu'elle ne parvenait pas réellement à identifier mais qui grandissait à chaque instant, prenant possession de tout son être.

Elle comprit instinctivement qu'elle était sur le point de découvrir quelque chose qu'elle n'était pas encore prête à accepter. Quelque chose qui avait trait aux sentiments que lui inspirait Taylor.

Et, lorsqu'il se pencha vers elle pour l'embrasser, elle fut saisie d'un mouvement de panique aussi intense qu'irrationnel. Brusquement, elle recula, s'arrachant à ses bras sans même qu'il ait eu le temps d'anticiper son mouvement.

— Non, murmura-t-elle d'une voix tremblante. S'il vous plaît…

Elle s'appuya contre la balustrade du porche, luttant désespérément pour recouvrer un semblant de maîtrise de soi.

— Je ne veux pas, opposa-t-elle.

D'un pas, Taylor couvrit la distance qui les séparait. Il posa la paume de sa main sur la joue de la jeune femme et lui sourit sans la quitter des yeux.

— Mais si, c'est ce que vous voulez, lui assura-t-il d'une voix très douce.

B.J. avait l'impression de se perdre sans rémission dans ses yeux de jais. De toute la force de sa volonté, elle lutta pour s'arracher à ce sortilège, pour se rappeler les résolutions qu'elle avait prises et le fait que Taylor et elle demeuraient des adversaires.

Elle savait d'instinct que, s'il la reprenait dans ses bras, elle serait perdue. Jamais elle n'aurait suffisamment de force pour échapper deux fois de suite à cette étreinte délicieuse, à ses lèvres envoûtantes, à ses caresses qui lui faisaient perdre toute emprise sur elle-même.

— Non ! s'exclama-t-elle lorsqu'il fit mine de s'approcher un peu plus encore.

Levant les mains vers lui, elle le repoussa fermement.

— Ne me dites pas ce que je veux ou ce que je ne veux pas, reprit-elle, partagée entre terreur et colère.

Taylor parut hésiter et elle en profita pour faire volte-face et prendre la fuite. Ce n'était peut-être pas une attitude très héroïque, songea-t-elle en pénétrant dans l'auberge. Mais elle ne pouvait se permettre de succomber à l'attirance inexplicable qu'elle éprouvait pour Taylor.

Comme elle atteignait le hall de réception, B.J. s'arrêta pour reprendre haleine. Décidément, songea-t-elle avec un sourire ironique, ce lundi soir ne ressemblait guère à ceux dont elle avait l'habitude.

Et, tandis qu'elle se dirigeait vers la cuisine

Chapitre 5

Ce matin-là, lorsqu'elle se réveilla, B.J. fut assaillie par les souvenirs de ce qui s'était passé la veille au soir entre Taylor et elle. L'espace d'un instant, elle fut tentée de refermer les yeux et de se rendormir. Mais, bien sûr, c'était impossible. Tôt ou tard, il lui faudrait bien affronter la réalité.

Si seulement elle avait pu conserver un semblant de contrôle de soi lorsqu'elle se trouvait en présence de cet homme. Mais c'était plus fort qu'elle : quand il ne la mettait pas en colère, elle ne pouvait s'empêcher de le trouver irrésistible.

Et, chaque fois, elle perdait un peu plus de crédibilité.

La jeune femme finit à contrecœur par sortir de son lit et enfila un nouveau tailleur très strict. Une fois habillée, elle noua ses cheveux en chignon et se répéta plusieurs fois devant la glace qu'elle était une professionnelle et que rien ni personne ne pourrait la détourner de son seul et unique but : défendre les intérêts de Lakeside Inn.

Au moins, songea-t-elle, il n'y aurait ce matin-là

ni clair de lune ni musique envoûtante. Qui sait ? Cela lui permettrait peut-être de conserver un semblant de maîtrise de soi. A moitié convaincue par ces arguments, elle descendit l'escalier et gagna la salle à manger.

Elle était bien décidée à décliner l'inévitable invitation de Taylor à partager son petit déjeuner. Aussi fut-elle surprise de le trouver déjà installé devant un café et une assiette sur laquelle trônaient un œuf au plat et des toasts beurrés.

Il se trouvait à la table de M. Leander et tous deux étaient en grande discussion. Lorsqu'il vit B.J. entrer, il lui adressa tout juste un petit signe de la main sans l'inviter pour autant à se joindre à eux.

Malgré elle, B.J. se sentit vexée par cette marque de désinvolture. Comment était-elle censée snober Taylor s'il ne faisait même pas l'effort de s'intéresser à elle ?

Boudeuse, elle s'éloigna en direction de la cuisine. Là, elle eut à peine le temps d'avaler un café avant qu'Elsie lui fasse clairement comprendre qu'elle la gênait. La jeune femme se réfugia donc dans son bureau.

Elle y travailla pendant une demi-heure, réglant les questions les plus urgentes. Mais, tout en s'activant, elle ne cessait de prêter l'oreille aux bruits du couloir, guettant l'approche de Taylor.

Comme les minutes se succédaient sans qu'il la rejoigne, elle sentit une étrange tension la gagner. C'était presque comme si elle regrettait qu'il ne soit pas là. Ce qui était absurde, bien sûr.

Après tout, elle lui en voulait toujours pour sa conduite de la veille. Et elle était ravie qu'il ait enfin décidé de la laisser tranquille.

Hélas, plus elle se répétait ce credo et moins elle parvenait à s'en convaincre. En vérité, malgré sa goujaterie, son arrogance et son caractère impossible, elle commençait à s'accoutumer à la présence de Taylor et à leurs disputes incessantes.

Brusquement, la porte s'ouvrit et Eddie pénétra dans le bureau.

— B.J. ! s'exclama-t-il, visiblement paniqué. Nous avons un problème !

— Tu parles, marmonna-t-elle, préoccupée par la découverte qu'elle venait de faire.

— C'est la machine à laver la vaisselle, reprit Eddie d'un air aussi accablé que s'il venait de perdre l'un des membres de sa famille. Elle nous a lâchés au beau milieu du petit déjeuner.

B.J. poussa un profond soupir. Décidément, songea-t-elle, cette journée allait de mal en pis.

— D'accord, répondit-elle, je vais appeler Max. Avec un peu de chance, il sera là avant l'heure du déjeuner.

En réalité, il fallut moins d'une heure au réparateur

pour arriver à l'auberge. B.J. s'efforça d'attendre patiemment qu'il ait fini d'inspecter la machine à laver avec force grommellements et claquements de langue réprobateurs. Il lui sembla pourtant que Max mettait un temps fou à découvrir l'origine de la panne.

— Dis, tu ne pourrais pas… ?

Max leva la main pour lui intimer le silence.

— B.J., soupira-t-il, je ne te dis pas comment gérer ton auberge. Alors laisse-moi travailler en paix.

La jeune femme se redressa et lui tira la langue avant de s'apercevoir que Taylor se tenait sur le seuil de la cuisine, l'observant d'un air moqueur. Elle rougit et s'efforça vainement de se donner une contenance.

— Vous avez un problème ? demanda-t-il en s'approchant.

— Je m'en occupe, répondit-elle un peu sèchement. Et je suis certaine que vous avez mieux à faire que de vous occuper d'une machine à laver en panne.

Cette fois, Taylor ne put s'empêcher de sourire.

— Voyons, B.J., vous savez bien que j'ai toujours un peu de temps lorsqu'il s'agit de vous, lança-t-il d'une voix malicieuse.

Sans lui laisser le temps de répondre, il leva la main vers son visage et lui caressa tendrement la joue. Max étouffa un petit ricanement amusé.

Passablement agacée par cette manifestation de solidarité masculine, B.J. repoussa la main de Taylor et fit un pas en arrière.

— C'est très aimable à vous, dit-elle en essayant de prendre un air détaché. Mais je suis sûre que le problème sera réglé d'ici l'heure du déjeuner. N'est-ce pas, Max ?

— Cela me paraît un peu optimiste, répondit ce dernier en se redressant.

— Optimiste ? répéta la jeune femme. Mais il le faut absolument ! Nous avons besoin de cette machine !

— Ce dont vous avez besoin, c'est de ça, affirma Max en lui tendant un petit disque dentelé.

— Eh bien, tu n'as qu'à en mettre un nouveau. Encore que je ne comprenne pas comment un truc aussi petit peut causer tant de problèmes.

— Ç'aurait pu être pire, rétorqua Max. La machine aurait très bien pu déborder. En tout cas, je n'ai pas ce genre de pièce en stock et je vais devoir la commander à Burlington.

— La commander ? s'exclama B.J. Mais elle risque de mettre plusieurs jours à arriver !

Elle lui décocha son regard le plus suppliant, sachant que Max, malgré ses cinquante-cinq ans, n'était pas encore immunisé contre ce genre d'argument. Il essaya bien de s'y soustraire en détournant les yeux mais finit par soupirer d'un air résigné.

— Très bien, B.J. J'irai la chercher moi-même à Burlington. Ta machine sera réparée d'ici ce soir. Mais il est inutile d'espérer quoi que ce soit d'ici l'heure du déjeuner. Je ne suis pas un magicien.

— Merci, Max ! s'exclama la jeune femme.

Se dressant sur la pointe des pieds, elle lui déposa un petit baiser sur la joue.

— Qu'est-ce que je ferais sans toi ?

En marmonnant, il rassembla ses outils et se dirigea vers la porte.

— Viens dîner ce soir avec ta femme, lui proposa B.J. C'est la maison qui invite.

— Compte sur moi. A tout à l'heure, B.J.

Elle le suivit des yeux avant de se tourner vers Taylor, qui sourit.

— C'est incroyable ce que vous arrivez à faire d'un simple regard. Je pense que ce devrait être puni par la loi. Les hommes qui croisent votre route n'ont vraiment aucune chance.

— Je ne vois pas de quoi vous voulez parler, protesta-t-elle en haussant les épaules.

— Je crois que si, répondit Taylor en riant.

Il prit doucement le menton de B.J. entre ses doigts.

— Ce regard que vous lui avez lancé était parfaitement calculé.

— Même si tel était le cas, affirma-t-elle, le cœur battant à tout rompre, je ne vois pas de quoi vous avez à vous plaindre. Je n'ai agi que dans l'intérêt de l'auberge. C'est mon métier, après tout.

— C'est vrai, acquiesça Taylor.

Lâchant le menton de la jeune femme, il se tourna vers la machine à laver.

— Qu'allons-nous faire en attendant que la machine soit réparée ? demanda-t-il.

— Ce que faisaient nos arrière-grands-parents, répondit-elle en désignant l'évier.

Jamais elle n'aurait imaginé que Taylor puisse la prendre au mot. C'est donc avec stupeur qu'elle le vit ôter sa veste et retrousser les manches de sa chemise, révélant des avant-bras musclés dont la simple vue suffit à éveiller en elle un petit frisson de désir qu'elle réprima aussitôt.

Pendant près d'une demi-heure, ils firent la vaisselle côte à côte et, pour la première fois depuis qu'ils avaient fait connaissance, la barrière invisible qui les séparait parut se résorber quelque peu. La situation était bien trop absurde pour ne pas en rire et ils ne tardèrent pas à échanger des plaisanteries et à s'asperger copieusement l'un l'autre.

Cela suffit à dissiper la tension qui subsistait entre eux et, lorsque Elsie revint dans la cuisine, ils ne s'en rendirent même pas compte, continuant à chahuter comme des enfants.

— Pas une seule victime ! s'exclama enfin Taylor tandis que B.J. posait la dernière assiette sur l'égouttoir. C'est un véritable miracle !

— C'est seulement parce que j'en ai rattrapé deux que vous avez failli laisser tomber, objecta B.J., narquoise.

— Mauvaise langue ! s'écria-t-il en la prenant par les épaules pour l'entraîner hors de la pièce. Vous feriez bien d'être un peu plus gentille avec moi. Que se passera-t-il si Max n'arrive pas à réparer la machine d'ici ce soir ? Imaginez toutes les assiettes qu'il vous faudra laver toute seule !

— Je ne préfère pas, répondit-elle en riant. J'avoue cependant que j'ai envisagé cette possibilité. Et je connais quelques gamins en ville que je pourrais embaucher si cela arrivait. Mais je suis certaine que Max ne nous laissera pas tomber.

— Vous avez vraiment confiance en lui, admit Taylor comme ils pénétraient dans le bureau de la jeune femme.

B.J. prit place à sa table de travail tandis qu'il s'installait en face d'elle et posait ses pieds sur le bureau d'un air parfaitement décontracté.

— Vous ne connaissez pas Max, lui dit-elle. S'il affirme qu'il aura réparé la machine avant le dîner, c'est qu'il le fera. Dans le cas contraire, il aurait

dit « je vais essayer » ou « j'y arriverai peut-être ».
C'est l'avantage de connaître personnellement les
gens avec lesquels on travaille, ajouta-t-elle.

Taylor hocha la tête mais, avant qu'il ait pu lui
répondre, le téléphone sonna et B.J. décrocha.

— Lakeside Inn, annonça-t-elle. Salut, Marilyn…
Non, j'étais occupée ce matin.

Elle adressa un sourire complice à Taylor avant
de s'asseoir sur le bord du bureau.

— Oui, il m'a bien transmis ton message. Mais
je viens juste de rentrer au bureau. Désolée…
Non, il vaut mieux que tu me rappelles quand tu
auras une idée du nombre de convives. Ce sera
plus simple pour planifier le repas… Ne t'en fais
pas, nous avons tout le temps ! Il reste encore plus
d'un mois avant le mariage… Fais-moi confiance :
j'ai déjà organisé des tas de réceptions de ce
genre… Oui, je sais que tu es nerveuse. C'est
normal… Bien, rappelle-moi lorsque tu connaîtras
le nombre de convives, d'accord ? Il n'y a pas de
quoi, Marilyn. Au revoir.

B.J. raccrocha et s'étira pour chasser la raideur
de sa colonne vertébrale. Elle réalisa alors que
Taylor attendait une explication et se tourna vers lui.

— C'était Marilyn, lui dit-elle. Elle voulait me
remercier.

— Telle était bien mon impression.

— Elle doit se marier dans un mois, expliqua

B.J. en se massant la nuque. Si elle parvient à la date fatidique sans faire un infarctus, ce sera déjà un miracle ! Franchement, les gens feraient mieux de se marier en petit comité plutôt que d'organiser de telles réceptions.

— Je suis certain que nombreux sont les parents qui doivent être de votre avis après avoir reçu la facture, acquiesça Taylor.

Se levant, il contourna le bureau pour venir se placer face à la jeune femme.

— Laissez-moi faire, lui dit-il.

Posant ses mains sur ses épaules, il entreprit de la masser délicatement. Les protestations de B.J. se noyèrent dans un soupir de bien-être. Elle essaya sans grande conviction de se rappeler les bonnes résolutions qu'elle avait prises le matin même.

— Ça va mieux ? lui demanda Taylor tandis qu'elle fermait les yeux pour mieux s'abandonner à ses doigts.

— Mmm…, ronronna-t-elle. Continuez encore une heure ou deux et ce sera parfait.

Elle baissa la tête pour mieux s'offrir à son massage.

— Depuis que Marilyn a réservé le restaurant, elle m'appelle à peu près trois fois par semaine pour vérifier que tout va bien. Je crois que je n'avais encore jamais vu quelqu'un de si impatient à l'idée de se marier !

— Que voulez-vous ! Tout le monde n'est pas aussi détaché et maître de soi que vous, ironisa Taylor tandis que ses doigts remontaient le long du cou de la jeune femme jusqu'à ses mâchoires. Et, à ce propos, à votre place, je ne parlerais pas trop de mes idées sur le mariage. Je suis certain que l'auberge tire un bénéfice substantiel de l'organisation de ce genre de réceptions.

— Un bénéfice ? répéta B.J., qui s'efforçait de se concentrer sur ce qu'il disait.

Hélas, le contact de ses doigts sur sa peau rendait l'exercice presque impossible. Elle rouvrit les yeux et prit une profonde inspiration.

— Un bénéfice, répéta-t-elle. Oui…

A contrecœur, elle se dégagea, regrettant brusquement d'avoir oublié qui était réellement Taylor.

— La plupart du temps, en tout cas…, ajouta-t-elle. Mais parfois… C'est-à-dire…

— Peut-être pourriez-vous me traduire cette réponse, fit remarquer Taylor, amusé.

De plus en plus mal à l'aise, B.J. contourna le bureau pour mettre un peu de distance entre eux.

— Eh bien, commença-t-elle, vous voyez, dans certains cas, nous ne facturons pas l'organisation de la fête. Nous faisons payer le repas et la décoration, bien sûr, mais pas la location de la salle.

— Pourquoi cela ? demanda Taylor, surpris.

— Pourquoi ? répéta B.J. en détournant les yeux.

Malheureusement, la contemplation du plafond ne lui apporta aucune réponse à cette question.

— Tout dépend, dit-elle enfin. Et, bien sûr, il s'agit de l'exception et non de la règle.

Elle se maudit intérieurement, regrettant amèrement de ne pas savoir tenir sa langue.

— Dans ce cas précis, reprit-elle, il se trouve que Marilyn est la cousine de Dot. Vous connaissez Dot, c'est l'une de nos serveuses.

Taylor resta parfaitement silencieux, attendant qu'elle poursuive.

— Elle travaille souvent à l'auberge pendant l'été. Et la réception est en quelque sorte un cadeau de mariage de notre part.

— Notre ? répéta Taylor en levant un sourcil.

— Le personnel et moi, précisa la jeune femme. Marilyn paie le repas, les fleurs et l'orchestre, mais nous fournissons le lieu, le service et...

Elle hésita un instant puis estima qu'il était trop tard pour reculer.

— Et le gâteau de mariage, conclut-elle.

Taylor croisa les doigts et hocha la tête.

— Je vois, murmura-t-il. Le personnel offre son temps, son talent et l'auberge, en quelque sorte.

— Pas l'auberge, protesta vivement B.J. Juste la salle à manger pour la soirée. Cela n'arrive qu'une ou deux fois par an. Et c'est une excellente opération de relations publiques. Qui sait, nous pourrions peut-être même la déduire de notre déclaration fiscale. Il faudrait que vous posiez la question à votre comptable.

Plus elle essayait de se justifier et plus elle se sentait envahie par une colère qui n'était pas tant dirigée contre Taylor que contre elle-même.

— Je ne vois pas ce que vous trouvez de si choquant là-dedans, ajouta-t-elle. Cela fait des années que nous pratiquons ainsi et cela fait partie intégrante de…

— … la politique de la maison ? suggéra Taylor. Peut-être devrions-nous constituer ensemble une liste de toutes les excentricités qui font partie de cette politique.

— Ne me dites pas que vous iriez jusqu'à priver Marilyn de son mariage ! protesta vivement B.J.

Cette fois, elle était prête à se battre jusqu'au bout. Elle avait donné sa parole à Marilyn et il s'agissait pour elle d'une question d'honneur.

— Désolé de vous décevoir, répondit Taylor. Contrairement à ce que vous semblez croire, je ne suis pas un monstre. Vous vous êtes engagée à mettre l'auberge à sa disposition et il serait très préjudiciable de revenir sur cette promesse. Néanmoins, je tiens à ce que nous discutions de la politique qu'il convient d'adopter à l'avenir.

— Très bien, monsieur Reynolds, répondit froidement B.J.

Un nouveau coup de téléphone providentiel leur évita une nouvelle dispute et la jeune femme tendit la main pour décrocher.

— Je vais nous chercher du café, déclara Taylor.

B.J. hocha la tête et le regarda quitter la pièce. Quelques minutes plus tard, il était de retour, au moment même où elle raccrochait.

— C'était le fleuriste, expliqua-t-elle. Il me disait qu'il ne pourrait pas me livrer les six douzaines de jonquilles que j'avais commandées.

Taylor plaça une tasse de café devant elle et s'installa sur une chaise qui lui faisait face.

— Je suis désolé d'apprendre cela, dit-il avec un sourire amusé.

— Vous pouvez ! C'est votre auberge et, techniquement, ce sont donc vos jonquilles.

— Je suis touché que vous m'offriez des fleurs, répondit-il en riant. Mais six douzaines, c'est peut-être un peu excessif.

— Vous trouverez peut-être cela moins drôle lorsque vous ne verrez pas ces fleurs sur les tables.

— Pourquoi ne pas commander autre chose que des jonquilles ?

— Vous me prenez pour une imbécile ? s'exclama B.J. Je lui ai demandé, évidemment ! Mais il est en rupture de stock jusqu'à la semaine prochaine. Apparemment, son pépiniériste ne l'a pas livré.

La jeune femme poussa un profond soupir et avala une gorgée de café.

— Je ne comprends pas, remarqua Taylor en fronçant les sourcils. Il doit bien y avoir une dizaine de fleuristes à Burlington. Vous n'avez qu'à les appeler et leur demander de vous livrer ce dont vous avez besoin.

B.J. le regarda avec stupeur.

— Commander des fleurs à Burlington ? s'exclama-t-elle. Vous n'y pensez pas ! Cela nous coûterait une fortune !

Taylor la suivit des yeux tandis qu'elle se levait pour faire les cent pas dans le bureau.

— Il est hors de question que nous utilisions des fleurs artificielles, décréta-t-elle. C'est presque pire que de ne pas mettre de fleurs du tout. Il n'y a donc qu'une seule solution. Mais je vais devoir la supplier. Et elle va encore me parler de son neveu. Je déteste ça. Pourtant, Betty est la seule qui ait un jardin assez grand…

B.J. se rassit derrière le bureau et décrocha le téléphone.

— Souhaitez-moi bonne chance, dit-elle à Taylor, qui la contemplait d'un air étonné. Je vais en avoir besoin.

— Bonne chance, répondit-il, se demandant visiblement ce qu'elle avait en tête.

Il continua à siroter son café tandis que B.J.

appelait Betty Jackson à la rescousse. Lorsqu'elle raccrocha, il l'observa avec un mélange d'admiration et d'ironie.

— Je crois que je n'avais encore jamais vu quelqu'un utiliser la flatterie de façon aussi éhontée, remarqua-t-il malicieusement.

— La subtilité ne fonctionne pas avec elle, répondit B.J. en souriant. Et je ferais mieux d'aller chercher ces fleurs avant qu'elle ne change d'avis.

— Je vous accompagne, déclara Taylor en se levant pour la suivre en direction de la porte.

— Ce n'est pas la peine, protesta-t-elle.

— Oh, mais j'y tiens ! Il me faut absolument rencontrer cette femme qui, selon vous, « fait pousser ses fleurs de ses doigts de fée ».

— J'ai vraiment dit ça ? demanda B.J. en ouvrant de grands yeux.

— Oui. Et c'était l'un de vos compliments les plus mesurés, je vous assure.

— A situation désespérée, mesures désespérées, je suppose, répondit B.J. en riant.

Tous deux quittèrent l'auberge pour rejoindre la Mercedes de Taylor.

— Vous verrez, promit la jeune femme, Betty a vraiment un jardin extraordinaire. Ses rosiers ont même remporté un prix, l'année dernière. D'ailleurs, au lieu de vous moquer de moi, vous feriez mieux de me remercier. Si j'avais opté pour la solution que vous me proposiez, cela nous aurait coûté les yeux de la tête.

— Très chère Mademoiselle Clark, déclara Taylor en lui jetant un regard incendiaire, s'il y a une chose que je ne peux nier, c'est bien que vous êtes une gérante de premier ordre. Et j'ai parfaitement conscience du fait que vous méritez une augmentation.

— Je n'ai rien demandé, protesta vivement B.J.

Se détournant, elle contempla le paysage magnifique qui s'offrait à ses yeux. Une fois de plus, elle songea que sa position vis-à-vis de Taylor était bien trop ambiguë. L'alchimie qui existait entre eux et le trouble que lui inspirait sa présence n'étaient guère compatibles avec leurs rôles de propriétaire et de gérante.

Leurs relations oscillaient entre le formalisme professionnel et le flirt à peine déguisé et la jeune femme avait de plus en plus de mal à concilier ces deux attitudes qui la mettaient continuellement en porte-à-faux.

Le pire, c'était que plus elle fréquentait Taylor, plus elle percevait les qualités qui se dissimulaient sous son apparente arrogance. Elle aurait parfois préféré pouvoir le réduire à l'homme d'affaires tyrannique et trop sûr de lui qu'elle avait initialement cru voir en lui.

Mais c'était impossible, bien sûr. Au cours des

jours précédents, Taylor avait montré bien d'autres facettes de sa personnalité, faisant preuve d'un humour indéniable et d'une intelligence aiguë. Il savait l'écouter, s'adapter à diverses situations et faire des concessions lorsqu'il l'estimait nécessaire.

Et, surtout, il exerçait sur elle une véritable fascination. Il suffisait qu'il la touche pour qu'elle sente s'éveiller en elle un désir inexplicable. Lorsqu'il l'avait massée, elle n'avait pu s'empêcher d'imaginer ce qu'elle éprouverait en sentant ses doigts courir sur sa peau nue et explorer les replis les plus secrets de son corps.

Ce simple souvenir suffisait à éveiller en elle une envie brûlante, un besoin qu'elle aurait voulu ignorer mais qui s'imposait à elle avec une acuité presque terrifiante.

Comment était-elle censée réagir à cela ? Comment pouvait-elle désirer un homme qui avait les moyens de lui faire perdre son travail et de réduire à néant tous les efforts qu'elle avait investis dans cette auberge ?

B.J. avait l'impression d'être déchirée entre deux impulsions contradictoires, d'assister impuissante à la guerre que se livraient deux moitiés inconciliables d'elle-même. Et elle n'était pas certaine de vouloir découvrir laquelle l'emporterait.

En attendant, songea-t-elle, elle devrait continuer

à marcher sur le fil du rasoir. Et ce n'était pas une situation très agréable.

— Remarquez, dit-elle en souriant, si vous insistez vraiment, je veux bien considérer l'idée d'une augmentation.

Taylor éclata de rire.

— Vous êtes vraiment une fille très étrange, B.J., remarqua-t-il.

— On me l'a déjà dit, reconnut-elle avec une pointe de malice. Ralentissez, nous y sommes presque. C'est la quatrième maison sur la gauche.

Taylor se gara devant la maison de Betty et tous deux descendirent de voiture. Ils remontèrent l'allée conduisant à la porte d'entrée et B.J. ne put s'empêcher de penser que leur visite offrirait à la vieille dame de nombreux sujets de ragots et de spéculations pour les semaines à venir.

En voyant Taylor, elle imaginerait sûrement qu'il se passait quelque chose entre B.J. et ce bel homme qui roulait en Mercedes et était vêtu avec tant d'élégance. La jeune femme jugea plus sage de dissiper ce malentendu au plus vite. Lorsque Betty leur ouvrit la porte, elle présenta donc Taylor comme le nouveau propriétaire de l'auberge.

— Madame Jackson, déclara ce dernier en lui serrant cordialement la main, je suis ravi de faire votre connaissance. J'ai beaucoup entendu parler de vos talents et j'étais curieux de voir votre magnifique jardin.

Avec stupeur, B.J. vit Betty rougir comme une adolescente et, pour la première fois depuis plus de soixante ans, elle parut avoir du mal à trouver ses mots. Une fois de plus, le charme naturel de Taylor provoquait des ravages, songea B.J. avec une pointe d'ironie.

— Nous sommes venus chercher les fleurs, dit-elle.

— Oh, bien sûr ! s'exclama Betty, paraissant recouvrer ses esprits.

Elle les fit entrer dans la maison. Là, Taylor contempla le salon décoré de statuettes de grenouilles et hocha la tête d'un air approbateur.

— C'est charmant, déclara-t-il à la grande stupeur de B.J. Je tenais à vous remercier du fond du cœur pour l'aide que vous nous apportez, Betty, ajouta-t-il à l'intention de leur hôtesse. Vous nous sauvez la vie !

— Pensez-vous ! s'exclama la vieille dame en rosissant de plus belle. Ce n'est rien du tout. Je vous en prie, asseyez-vous. Je vais nous préparer un peu de thé. Viens m'aider, B.J.

La jeune femme suivit Betty dans la cuisine. Lorsqu'elles furent hors de portée de voix, celle-ci se tourna vers elle d'un air de reproche.

— Pourquoi ne m'as-tu pas prévenue que tu viendrais avec lui ? demanda-t-elle.

— A vrai dire, je ne savais pas qu'il m'accompagnerait, répondit B.J., étonnée.

— Cela m'aurait au moins laissé le temps de me coiffer ou d'enfiler quelque chose de plus élégant, soupira Betty.

Passablement stupéfaite, B.J. fit l'impossible pour retenir un sourire amusé.

— Je suis désolée, s'excusa-t-elle. J'aurais dû y penser, bien sûr.

— Peu importe, conclut la vieille dame en allumant la bouilloire. L'essentiel, c'est qu'il soit là. Va cueillir les fleurs dont tu as besoin pendant que je finis de préparer le thé. Prends celles que tu veux.

Betty lui tendit alors un sécateur et la poussa littéralement dehors. Partagée entre stupeur, amusement et exaspération, B.J. se dirigea vers les magnifiques plates-bandes de Betty et entreprit de couper les fleurs dont elle avait besoin.

Lorsqu'elle revint quelques minutes plus tard dans la cuisine avec un gros bouquet de jonquilles et de tulipes, elle entendit Betty et Taylor rire dans le salon. Déposant ses fleurs sur la table, elle les rejoignit. Ils étaient installés devant des tasses de thé fumantes et discutaient comme deux amis de toujours.

— Taylor ! s'exclama Betty, qui riait toujours. Vous êtes incroyable !

B.J. observa la scène en silence. Jamais elle n'aurait imaginé que Betty Jackson puisse flirter de cette façon. Cela ne s'était d'ailleurs probablement pas produit depuis plus de trente ans.

Et le plus incroyable, c'est que Taylor agissait ouvertement de même. En avisant la présence de la jeune femme, pourtant, il lui décocha un sourire ravageur et, l'espace d'un instant, elle fut tentée de traverser la pièce pour se jeter dans ses bras.

L'intensité de sa propre réaction la prit de court. Comment faisait-il ? se demanda-t-elle. Aucune femme ne paraissait immunisée contre son charme. Le pire, c'est qu'il le savait pertinemment et en jouait sans aucun état d'âme. Et que, tout en en étant consciente, elle était incapable d'y résister.

Malgré elle, elle lui rendit son sourire avant de se tourner vers Betty.

— Madame Jackson, votre jardin est vraiment splendide.

— Merci, B.J. J'y consacre beaucoup de temps. Est-ce que tu as tout ce qu'il te fallait ?

— Oui, merci beaucoup. Je ne sais vraiment pas ce que j'aurais fait sans vous.

— Je vais aller te chercher un carton pour que tu puisses transporter les fleurs, déclara Betty.

Un quart d'heure plus tard, ils prirent congé

d'elle. Taylor lui promit de revenir et ils regagnèrent la voiture.

— Vous êtes incroyable ! lança B.J.

— Moi ? dit-il en lui lançant un regard parfaitement innocent. Pourquoi donc ?

— Vous savez très bien pourquoi ! s'exclamat-elle. Je n'avais jamais vu Betty dans un état pareil.

— Ce n'est tout de même pas ma faute si je suis irrésistible, répliqua-t-il en riant.

— Oh, si ! Vous n'avez pas arrêté de l'encourager. Vous auriez pu lui demander n'importe quoi.

— Voyons, c'est absurde ! Nous avions juste une petite conversation amicale.

— En tout cas, je ne vous savais pas amateur de thé à la bergamote. Vous en avez repris deux fois.

— C'est très rafraîchissant. Vous auriez vraiment dû en boire une tasse.

— Betty ne m'en a pas proposé, lui fit remarquer la jeune femme.

— Ah, je vois, ironisa Taylor tandis qu'ils approchaient de l'auberge. La vérité, c'est que vous êtes jalouse.

— Jalouse ? s'exclama B.J. C'est ridicule !

— Au contraire, protesta-t-il en riant de plus belle.

Il gara sa voiture devant l'hôtel avant de se tourner vers la jeune femme pour la regarder droit dans les yeux.

— Ne vous en faites pas, murmura-t-il d'une voix qui la fit frissonner des pieds à la tête. Comment pourrais-je m'intéresser à une autre femme alors que je vous ai rencontrée ?

Sur ce, il se pencha vers elle et l'embrassa. B.J. s'abandonna un instant à cette sensation délicieuse avant de se dire qu'elle était probablement en train de commettre une énorme erreur. Presque à contrecœur, elle s'arracha à l'étreinte de Taylor.

— Non, murmura-t-elle d'une voix mal assurée.

Il l'observa longuement et elle comprit qu'il avait parfaitement conscience du dilemme qui l'habitait. Elle lui fut reconnaissante de ne pas chercher à pousser son avantage.

— Taylor, soupira-t-elle enfin, je crois qu'il serait temps d'établir certaines règles de conduite entre nous.

— Je ne crois pas aux règles dans les relations entre les hommes et les femmes, déclara-t-il posément. Et je n'en suis aucune.

Une fois de plus, B.J. fut prise de court par le mélange de franchise et d'arrogance qui le caractérisait.

— Si je n'insiste pas, c'est simplement parce que je n'ai pas envie de faire l'amour avec vous en plein jour sur le siège avant d'une voiture. Le moment venu, je suis certain que nous trouverons un endroit bien plus agréable.

— Le moment venu ? répéta-t-elle, interdite. Vous ne pensez quand même pas que je serai d'accord !

— Je crois que vous l'êtes déjà, même si vous ne le savez pas encore. Mais je vous assure que cela viendra.

— Je crois que vous prenez vos rêves pour des réalités ! s'exclama la jeune femme, que la tranquille assurance de Taylor rendait furieuse.

Sur ce, elle descendit de voiture et claqua la portière derrière elle. Mais, en dépit de sa colère, elle ne pouvait s'empêcher de se demander si, au fond, il n'avait pas vu juste. Et cette idée avait quelque chose de terrifiant...

Chapitre 6

Fermant les yeux, B.J. offrit son visage aux doux rayons du soleil et réfléchit à la situation dans laquelle elle se trouvait. Depuis la visite qu'ils avaient rendue à Betty, elle avait décidé d'éviter Taylor aussi souvent qu'elle le pouvait et de se concentrer sur son travail.

Mais cela n'avait pas été aussi facile qu'elle l'avait espéré. En tant que gérante, elle était amenée à lui fournir nombre d'informations sur le fonctionnement de l'auberge et à répondre à toutes les questions qu'il pouvait se poser à ce sujet.

Fort heureusement, il n'avait pas cherché à l'embrasser de nouveau et n'avait pas fait la moindre allusion à la tournure plus intime qu'il entendait donner à leurs relations.

La jeune femme rouvrit les yeux et contempla le paysage qui l'entourait. De nombreuses fleurs piquetaient à présent les pelouses de l'auberge et le manteau neigeux qui recouvrait la montagne avait quasiment disparu. L'été approchait et, bientôt, les vacances commenceraient.

Avec elles viendrait la saison la plus active de l'année pour B.J. Les clients ne tarderaient pas à affluer et elle verrait ses responsabilités démultipliées. Qui sait ? Cela lui donnerait peut-être une excellente excuse pour échapper à Taylor...

Se tournant vers l'auberge, elle admira le beau bâtiment de brique dans lequel elle vivait depuis près de quatre ans. Sous le porche, deux clients étaient plongés dans une partie d'échecs. B.J. les entendait discuter sans pouvoir discerner ce qu'ils disaient exactement.

La scène dégageait une impression de calme et de sérénité qui réchauffa le cœur de la jeune femme. Depuis qu'elle connaissait les projets de Taylor et qu'elle savait cette tranquillité menacée, elle réalisait mieux à quel point elle était attachée à cet endroit.

Une fois de plus, elle se jura de ne pas le laisser le dénaturer, le transformer en temple du divertissement.

Mais il ne lui restait plus que dix jours pour le convaincre d'y renoncer.

Si seulement il n'avait pas racheté l'hôtel, songea-t-elle tristement. Si seulement il n'était pas arrivé, par un beau jour de printemps, pour semer le trouble dans son esprit et dans son cœur.

Depuis qu'elle l'avait rencontré, elle avait l'impression d'avoir perdu un peu de son innocence, de se trouver sans cesse déchirée entre fascination et défiance.

— Vous semblez bien sombre, fit une voix sur sa droite. J'ai peur que vous ne fassiez fuir les clients…

Se tournant vers Taylor, elle avisa l'irrésistible sourire qui jouait sur ses lèvres. Curieusement, cela ne fit qu'accroître son propre désarroi.

— Je crois qu'il vaudrait mieux que je vous aide à vous changer les idées, ajouta-t-il en s'approchant pour prendre la main de B.J. dans la sienne.

— Je dois retourner travailler, protesta-t-elle. Il faut que j'appelle notre fournisseur de draps.

— Cela peut attendre. J'aimerais que vous me serviez de guide.

— De guide ? répéta-t-elle en essayant vainement de dégager sa main. Où comptez-vous donc aller ?

— Profiter du beau temps et de ce délicieux pique-nique que nous a préparé Elsie, répondit Taylor en lui montrant le panier qu'il tenait à la main. Que diriez-vous d'aller au bord du lac ?

— Vous n'avez pas besoin de moi pour cela, objecta-t-elle. Vous ne pouvez pas le manquer : c'est la grande étendue d'eau qui brille au bout de ce sentier.

— Très drôle, répliqua Taylor en la regardant droit dans les yeux. J'ai bien remarqué que vous faisiez tout pour m'éviter, depuis deux jours. Je sais que nous avons quelques différends sur ce qu'il doit advenir de l'auberge mais…

— Ce n'est pas à cause de cela, protesta la jeune femme.

— Peut-être. Mais je tiens à vous dire que je ne procéderai à aucun aménagement sans vous en avertir préalablement. Et je vous soumettrai tous les plans de l'architecte au fur et à mesure. Croyez-moi, je respecte votre attachement à cet hôtel et je sais ce qu'il représente pour vous.

— Mais…

— Néanmoins, poursuivit Taylor sans lui laisser le temps de finir sa phrase, je suis le propriétaire des lieux et vous faites partie de mes employés. A ce titre, je vous accorde deux heures de repos. Maintenant, que diriez-vous d'un pique-nique ?

— Je…

— Excellent ! Moi aussi, je serais ravi de déjeuner en votre compagnie.

B.J. comprit qu'elle n'avait aucune chance et, renonçant à arracher sa main à celle de Taylor, elle le suivit en direction du lac. Le sentier qui y conduisait serpentait dans une petite forêt de pins.

Les sous-bois étaient recouverts de fougères et de fleurs sauvages, formant un joli tapis multicolore. Ils aperçurent même quelques écureuils qui jouaient dans les branches des arbres.

— Est-ce que vous avez pour habitude d'enlever

de force les femmes avec lesquelles vous voulez pique-niquer ? demanda B.J. qui devait presser le pas pour s'accorder aux longues enjambées de son compagnon.

— Seulement lorsque c'est nécessaire, répondit-il en souriant.

Le sentier s'élargit et déboucha bientôt hors du bois, sur les berges herbues du lac. Taylor s'arrêta un instant pour observer attentivement le panorama. Les eaux étaient parfaitement immobiles, reflétant les nuages qui dérivaient paresseusement dans le ciel.

Au fond, on apercevait les montagnes aux pentes recouvertes de prairies qui, à cette distance, prenaient une teinte légèrement bleutée. Le silence n'était interrompu que par le chant des oiseaux et le bourdonnement des insectes.

— C'est vraiment très beau, déclara Taylor. Est-ce qu'il vous arrive de venir nager dans le lac ?

— Je l'ai fait quelquefois, lorsque j'étais petite, répondit-elle en s'efforçant d'adopter un ton léger.

Mais, en réalité, le fait que Taylor la tienne toujours par la main la mettait terriblement mal à l'aise. Elle aurait préféré que ce geste ne lui paraisse pas si naturel, si évident.

— J'oubliais que vous aviez grandi dans la région. Vous êtes vraiment de Lakeside ?

— Oui. J'y ai passé presque toute ma vie.

La jeune femme prit le panier de Taylor et il lâcha enfin sa main pour lui permettre d'étendre le plaid qui se trouvait à l'intérieur.

— En fait, reprit-elle, je ne suis partie que pour entrer à l'université.

— Vous avez étudié à New York, n'est-ce pas ?

— Oui.

— Et comment avez-vous trouvé la ville ? demanda Taylor en s'asseyant à côté de B.J.

Il releva les manches de sa chemise et elle fut tentée de caresser son avant-bras bronzé. Evidemment, elle se força aussitôt à réprimer cette impulsion.

— Bruyante, répondit-elle enfin. Je ne dis pas que vivre là-bas m'a déplu. C'était une expérience intéressante. Mais j'étais heureuse de revenir ici.

— Cela ne m'étonne pas.

Taylor tendit la main vers elle et détacha le ruban qui retenait ses cheveux. Ses longs cheveux blonds retombèrent en cascade sur ses épaules et il sourit d'un air appréciateur.

— Je vous préfère comme cela, déclara-t-il.

Comme elle tendait la main pour récupérer le ruban, il le lança au loin.

— Vous êtes vraiment insupportable ! s'exclama-t-elle d'un air de reproche. Et terriblement mal élevé.

— On me l'a déjà dit, répondit-il avant de

déboucher la bouteille de vin blanc qu'il avait apportée.

B.J. sortit les victuailles qui se trouvaient dans le panier et les disposa sur le plaid devant eux.

— Comment êtes-vous devenue gérante de Lakeside Inn ? demanda alors Taylor en remplissant deux verres.

Il en tendit un à la jeune femme qui avala une gorgée de vin avant de répondre.

— Cela s'est fait assez naturellement, avoua-t-elle.

— Que voulez-vous dire ?

— Lorsque j'étais au lycée, je complétais mon argent de poche en y travaillant durant les vacances scolaires. Cela me plaisait et, lorsque je suis entrée à l'université, je me suis spécialisée dans la gestion hôtelière. J'ai fait mon stage de fin d'études à Lakeside Inn, aux côtés de M. Blakely, le gérant de l'époque. Quand je suis revenue définitivement, il m'a embauchée comme assistante. Lorsqu'il a pris sa retraite, je connaissais parfaitement l'auberge et j'ai pris sa succession.

La jeune femme prit un sandwich et commença à manger avec appétit.

— Et à quel moment de votre vie avez-vous appris à jouer si bien au base-ball ? demanda Taylor, curieux.

— J'ai commencé lorsque j'avais quatorze ans,

répondit-elle en souriant. J'étais folle amoureuse du capitaine de l'équipe de mon collège. C'est lui qui m'a appris les bases du jeu. J'ai tout de suite accroché et j'ai continué par la suite. Je faisais même partie de l'équipe féminine à l'université.

— Et qu'est devenu le capitaine de l'équipe dont vous étiez amoureuse ?

— Il s'est marié et a eu deux enfants, répondit-elle en haussant les épaules. Je crois qu'il vend des voitures, aujourd'hui.

— Je me demande comment il a pu être assez stupide pour vous laisser filer, remarqua pensivement Taylor.

Gênée par le tour que prenait la conversation, la jeune femme décida de faire diversion.

— Je me posais une question, dit-elle. Est-ce que vous passez autant de temps dans tous vos hôtels ?

— Cela dépend, répondit-il en la regardant droit dans les yeux.

B.J. s'efforça de soutenir son regard. Mais elle avait l'impression de se noyer dans ses yeux noirs magnifiques et elle craignit un instant de s'y perdre sans rémission.

— De quoi ? articula-t-elle.

— De la compétence du gérant, tout d'abord. Il est important pour moi de déterminer si j'ai affaire à des gens en qui je peux avoir confiance.

Des problèmes que je rencontre, ensuite. Certains requièrent mon attention, notamment lorsqu'ils ont un impact sur le budget de l'hôtel. Et puis il y a le cas des nouvelles acquisitions. J'essaie alors généralement de déterminer de façon précise comment l'établissement fonctionne et s'il y a lieu de procéder à des transformations. C'est ce qui prend le plus de temps.

— Mais le siège est à New York, remarqua B.J. Vous devez donc passer votre temps à parcourir le pays.

Au grand soulagement de la jeune femme, la conversation avait pris un tour moins personnel. Mais au moment même où elle s'en félicitait, Taylor la prit de nouveau de court.

— C'est vrai, acquiesça-t-il. Je voyage beaucoup. Mais, je n'ai pas souvent l'occasion de rencontrer de gérant aussi séduisant que vous, B.J. Et, très honnêtement, c'est peut-être l'une des raisons pour lesquelles je m'attarde si longtemps à Lakeside.

B.J. avala sa salive, sentant les battements de son cœur s'accélérer. Comment était-elle censée garder le contrôle d'elle-même s'il lui faisait de telles déclarations ? A force de volonté, elle parvint à conserver un semblant de maîtrise de soi et ne pas révéler à quel point ses compliments la troublaient.

— Vous feriez mieux de manger au lieu de

jouer les beaux parleurs, répliqua-t-elle d'un ton moins enjoué qu'elle ne l'aurait voulu.

Taylor éclata de rire et hocha la tête.

— Bien parlé, répondit-il. D'autant que ce pique-nique est délicieux. Elsie est vraiment une cuisinière hors pair.

Il resservit un peu de vin à la jeune femme et mordit à belles dents dans son sandwich.

— Au fait, dit-il après quelques instants de silence, vous avez reçu un appel, ce matin.

— Vous vous souvenez de qui il s'agissait ?

— Oui, répondit Taylor. D'un certain Howard Beall. Il a demandé que vous le rappeliez et a dit que vous aviez son numéro.

B.J. ne put s'empêcher de soupirer. Betty Jackson avait fini par la persuader de laisser une chance à son neveu et de passer quelques soirées en sa compagnie. Mais cette perspective ne la réjouissait guère.

— Eh bien ! s'exclama Taylor en avisant son expression. On peut dire que cette nouvelle semble faire naître en vous un enthousiasme délirant…

B.J. ne put s'empêcher de sourire et haussa les épaules. Dans les yeux de Taylor, elle lisait une certaine curiosité mais n'avait aucune envie d'entrer dans les détails. Elle trouvait déjà bien assez embarrassante l'insistance dont Betty Jackson faisait preuve pour la pousser à sortir avec son neveu.

S'allongeant sur le dos, elle contempla les petits nuages blancs qui flottaient au-dessus du lac. Malgré le peu d'enthousiasme dont elle avait fait preuve initialement, elle était heureuse d'avoir accepté l'invitation de Taylor. Elle adorait cet endroit et venait souvent s'y installer lorsqu'elle voulait s'isoler.

— Je crois que vous aimeriez beaucoup le lac en hiver, déclara-t-elle, pensive. Lorsque la neige recouvre les berges et que le lac est gelé. Parfois, les gens viennent pour y faire du patin à glace. Est-ce que vous aimez le ski ?

— Beaucoup, répondit Taylor.

— C'est l'endroit idéal pour cela. On peut aussi bien faire du ski de fond autour du lac que du ski de descente en montagne. Et cela attire de nombreux clients à l'auberge. Nous servons alors de délicieuses fondues…

Taylor s'allongea à côté d'elle. Elle se sentait si bien qu'elle ne s'en alarma pas, heureuse au contraire d'avoir quelqu'un avec qui partager ce moment de calme et de tranquillité.

— Ce que je préfère, lui dit-il, c'est la fondue au chocolat.

— Dans ce cas, vous seriez aux anges. Elsie n'a pas son pareil pour la préparer. Elle ajoute toujours un peu de rhum et une pointe de fleur d'oranger.

— J'en viens presque à regretter de ne pas avoir acheté l'auberge plus tôt, dit Taylor en riant.

— Ne vous en faites pas, vous aurez bientôt droit à son célèbre gâteau à la fraise. Sans compter que la saison de pêche va bientôt commencer. Nous aurons alors de la truite et du brochet.

— J'ai bien peur de ne pas être un grand fanatique de pêche. Y a-t-il d'autres activités à pratiquer, dans la région ?

— Eh bien, il est possible de faire de l'équitation. Ou de la voile sur le lac…

B.J. s'interrompit, sentant les doigts de Taylor se poser sur son bras où il commença à dessiner d'invisibles arabesques qui arrachaient à la jeune femme de délicieux frissons. Cette sensation était si agréable qu'elle ne chercha pas à le repousser.

— Bien sûr, ce que les gens préfèrent, c'est la marche. Il y a de très nombreuses promenades aux alentours.

Les doigts de Taylor remontaient à présent le long de son épaule pour se poser sur sa joue, qu'il caressa doucement.

— Il est aussi possible de camper, articula-t-elle avec difficulté.

— Et la chasse ? demanda Taylor en lui effleurant les lèvres, la faisant frémir de part en part.

— Qu'est-ce que vous dites ? demanda-t-elle, se sentant perdre pied.

— Je me demandais s'il était possible de chasser, lui dit Taylor.

Ses doigts s'étaient glissés sous le pull-over de B.J. pour se poser sur son ventre, éveillant instantanément au creux de ses reins une délicieuse sensation de chaleur qui se répandit rapidement dans chacun de ses membres. Fermant les yeux, elle s'abandonna à cette exploration.

— Bien sûr, murmura-t-elle d'une voix un peu rauque. Le gibier est abondant dans la région. Il paraît qu'il y a même des lynx dans la montagne.

— C'est fascinant, assura Taylor, dont la main reposait à présent sur l'un de ses seins qu'il caressait délicatement. Le syndicat d'initiative serait fier de vous.

Son pouce glissa sur le téton de la jeune femme et elle le sentit se dresser contre le tissu de son soutien-gorge. Malgré elle, elle ne put retenir un petit soupir de plaisir. Elle avait à présent l'impression que ses veines charriaient un feu liquide qui l'embrasait de l'intérieur. Son cœur battait la chamade et tous ses sens paraissaient aiguisés.

— Taylor, murmura-t-elle d'une voix presque suppliante. Embrassez-moi.

— Pas tout de suite, répondit-il.

Ses lèvres s'attardèrent sur son cou, qu'il couvrit

de petits baisers. Lentement, il remonta jusqu'à sa joue avant de se poser enfin sur sa bouche. Tremblante de désir, B.J. lui rendit son baiser avec passion, se noyant sans rémission dans cette étreinte délicieuse.

L'envie qu'elle avait de lui en cet instant était si intense qu'elle confinait presque à la souffrance. Son corps tout entier paraissait se disloquer sous l'effet de ce besoin incoercible. Et lorsque Taylor se fit plus pressant, elle crut qu'elle allait défaillir.

Mû par un instinct primordial, son corps se pressait contre le sien comme s'il espérait fusionner avec lui. Elle aurait voulu que tous deux ne fassent plus qu'un, que le plaisir qu'ils se donnaient l'un à l'autre ne prenne jamais fin.

S'arquant pour mieux s'offrir à ses mains qui parcouraient son corps, elle gémit contre sa bouche. Le temps lui-même semblait se dissoudre alors que la faim qu'elle avait de Taylor redoublait.

Mais, lorsqu'il commença à déboutonner son chemisier, elle réalisa brusquement ce qui était en train de se passer. Si elle ne réagissait pas très rapidement, ils dépasseraient un point de non-retour. Cet accès de passion culminerait en une étreinte aussi sauvage que vide de sens.

Quel avenir pouvait-elle espérer d'une telle liaison? Taylor et elle étaient trop radicalement différents l'un de l'autre. Ils appartenaient à des mondes qui n'étaient même pas censés se rencontrer.

Or, si elle se donnait à lui, elle risquait de s'investir émotionnellement et de transformer ce qui n'était qu'une simple passade en un sentiment plus profond. Et, lorsqu'il partirait sans un regard en arrière, il lui briserait le cœur.

Elle tenta donc de le repousser, luttant pour se libérer de ses bras qui l'enserraient, de ce corps qui lui faisait perdre la raison. Sentant sa résistance, Taylor s'écarta immédiatement, la regardant avec un mélange de désir et de frustration.

— Laissez-moi, dit-elle, suppliante.

— Pourquoi ferais-je une chose pareille ? s'enquit-il d'une voix rauque qui la fit frémir au plus profond d'elle-même.

S'il choisissait d'insister, comprit-elle, elle n'aurait ni la force ni le courage de lui résister. Elle attendit donc qu'il parle, sachant que son destin était suspendu aux mots qu'il s'apprêtait à prononcer.

Pendant ce qui lui parut une éternité, il se contenta de contempler le visage de la jeune femme. Il dut y lire le désespoir qui l'habitait car sa colère reflua lentement. Finalement, il se pencha vers elle et déposa un léger baiser sur ses lèvres tuméfiées.

— Les couettes vous conviennent peut-être plus encore que je ne le pensais, lui dit-il enfin. Il y a en vous une innocence que je m'en voudrais de détruire.

Soulagée et déçue à la fois, B.J. commença à réunir les restes de leur pique-nique qu'elle rangea dans le panier.

— Je suis désolée, murmura-t-elle.

— Cela ne fait rien, déclara Taylor en souriant. Il me faudra juste un peu plus de temps pour parvenir à mes fins.

B.J. frissonna, blessée par ses paroles. Visiblement, il la considérait toujours comme un trophée qu'il était désireux d'ajouter à sa collection. Et c'était une sensation d'autant plus humiliante qu'elle-même se sentait de plus en plus attirée par lui.

— Je vous ai dit que je gagnais toujours, B.J., reprit-il.

— Pas cette fois ! s'exclama-t-elle, furieuse. Je refuse que vous m'ajoutiez à la liste de vos conquêtes ! Ce qui vient de se passer était…

— … juste un début, l'interrompit-il en se levant.

Il prit le bras de la jeune femme et l'aida à se relever.

— En fait, ajouta-t-il, nous commençons à peine à nous connaître, tous les deux. Et, un jour, je prendrai ce que vous m'avez promis ici. Et, cette fois, vous ne me repousserez pas, j'en suis certain.

— Vous n'êtes qu'un monstre d'arrogance !

Mais ces paroles sonnaient faux, aussi bien

aux oreilles de Taylor qu'à celles de B.J. Tous deux savaient qu'il s'en était fallu de peu qu'elle ne s'offre à lui sans la moindre retenue. Et que, si une telle situation devait se renouveler, elle n'aurait peut-être pas la force de se refuser.

— Je crois que nous devrions rentrer, déclara Taylor. Le charme de ce pique-nique est rompu.

Sur ce, il ramassa leur panier et se mit en marche en direction de l'auberge. Et, après quelques instants d'hésitation, B.J. se résigna à le suivre.

Chapitre 7

De retour à l'auberge, B.J. n'avait qu'une envie : s'éloigner aussi vite que possible de Taylor et trouver un endroit où elle pourrait se terrer, le temps de recouvrer un semblant d'amour-propre. Car elle était parfaitement consciente d'être entièrement responsable du désastre qui venait de se produire.

Non seulement elle avait été incapable de résister au charme de Taylor ainsi qu'elle se l'était promis, mais, en plus, elle l'avait encouragé. Et le pire, c'est qu'elle ne parvenait pas à comprendre ses propres réactions.

Jamais elle n'avait eu tant de mal à maîtriser ses propres émotions, à savoir ce qu'elle voulait vraiment. Et lorsque Taylor avait posé les mains sur elle, elle avait perdu tout contrôle. C'était comme si, d'un geste, il avait balayé toutes ses défenses pour éveiller en elle un feu qui l'avait consumée tout entière.

Elle aurait voulu croire qu'il ne s'agissait que d'une réaction physiologique qui relevait exclusivement de la biologie. Après tout, Taylor était incontestablement un homme très attirant. Et la façon dont il l'avait regardée aurait probablement suffi à faire chavirer n'importe quelle femme.

Mais il y avait bien plus que cela, c'était évident. Lorsqu'il posait les yeux sur elle, elle avait l'impression que plus rien d'autre n'existait, qu'ils étaient seuls au monde. Et lorsqu'il la touchait, elle se sentait devenir flamme.

Jamais un homme n'avait produit sur elle un tel effet. Entre ses bras, elle se transformait, découvrait une part d'elle-même qu'elle n'avait jusqu'alors fait qu'entrevoir. Elle était femme. Elle était désir. Elle était tentation. C'était une sensation grisante, vertigineuse, qui lui donnait l'impression que tout était possible, que plus rien ne lui était interdit.

C'était pour cela qu'elle lui avait demandé de l'embrasser, oubliant toutes les résolutions qu'elle avait prises, toutes les raisons qui rendaient impossible une liaison entre Taylor et elle.

Comme ils arrivaient devant l'auberge, la jeune femme se tourna vers son compagnon.

— Je vais rapporter le panier dans la cuisine, lui dit-elle, terriblement gênée. Est-ce que vous aurez besoin de moi pour autre chose ?

— Je ne suis pas sûr que vous teniez vraiment à entendre la réponse à cette question, répondit Taylor avec un sourire malicieux.

— Je ferais mieux de retourner travailler, déclara B.J. en rougissant jusqu'à la racine des cheveux.

Mais, lorsqu'ils pénétrèrent dans le hall de l'auberge, B.J. oublia brusquement son embarras. Devant le comptoir de la réception se tenait une jeune femme qu'elle ne connaissait pas. Grande, brune et très mince, elle aurait aisément pu passer pour un mannequin tout droit surgi d'un magazine de mode.

Le tailleur qu'elle portait contrastait par son élégance et son raffinement avec la tenue décontractée qu'adoptaient la plupart des clients de l'auberge. Un nombre impressionnant de luxueuses valises en cuir était posé à ses pieds, comme si elle entendait séjourner à l'hôtel durant plusieurs mois.

— Je vous laisse vous occuper de mes bagages, disait-elle à Eddie, qui était visiblement tombé sous le charme et qui la regardait avec une admiration confinant à la vénération. Prévenez M. Reynolds que je suis arrivée.

— Darla! s'exclama ce dernier. Quelle surprise! Qu'est-ce que tu fais ici?

La belle brune se tourna vers Taylor, et B.J. découvrit un visage presque trop parfait pour être réel.

— Taylor! s'écria-t-elle, ravie. J'arrive tout juste de Chicago, où j'ai terminé le travail que tu m'avais confié.

S'approchant de lui, elle le serra dans ses bras et l'embrassa affectueusement sur les deux joues.

— J'ai pensé que tu voudrais que je te donne mon avis au sujet de ta dernière acquisition et je suis venue directement, reprit-elle.

— Ta conscience professionnelle ne cessera jamais de m'étonner, répondit Taylor avec un sourire légèrement teinté d'ironie. Laisse-moi te présenter B.J. Clark, la gérante de l'auberge. B.J., voici Darla Trainor. C'est la décoratrice à laquelle je confie l'aménagement de la plupart de mes hôtels.

— Enchantée, déclara Darla en serrant la main de B.J.

Le regard amusé qu'elle lança au jean fatigué et au pull-over trop large que portait B.J. n'échappa pas à cette dernière qui se sentait déjà intimidée par l'élégance de la décoratrice.

— D'après ce que j'ai pu constater, reprit Darla à l'intention de Taylor, il y a beaucoup à faire.

Elle contempla la pièce dans laquelle ils se trouvaient d'un air mi-dédaigneux, mi-amusé.

— Que voulez-vous dire ? demanda B.J. sur la défensive.

— Eh bien… Disons que la décoration est un peu fruste. Rurale, je dirais. Cela a sans doute du charme pour certaines personnes, mais ce n'est pas digne d'un hôtel de grand standing. Prenez l'entrée, par exemple, il me semble évident qu'il faudrait l'agrandir. Pour le moment, elle ressemble plus à un placard qu'à un véritable hall de réception. J'imagine du rouge. Pour le tapis, peut-être, ou bien pour la tapisserie… C'est une couleur qui donne tout de suite une impression de luxe.

— C'est ridicule, s'exclama B.J. en se tournant vers Taylor.

— Nous en discuterons plus tard, répondit celui-ci, diplomate.

B.J. ouvrit la bouche pour protester de plus belle, mais il lui décocha un regard noir et elle jugea préférable de garder pour elle ce qu'elle pensait des idées de Darla Trainor.

— Si cela ne vous ennuie pas, déclara cette dernière, je vais aller me rafraîchir un peu. Rejoins-moi dans ma chambre si tu veux, Taylor. Et commande-nous quelque chose à boire.

— Pas de problème, acquiesça-t-il. Eddie, vous ferez porter deux Martini dans la chambre de Mlle Trainor. Quel est le numéro, Darla ?

— Je ne sais pas encore, répondit-elle avant de se tourner vers Eddie, qui paraissait toujours aussi fasciné par la belle inconnue.

— Donne-lui la 314, intervint B.J. d'un ton sec. Et occupe-toi de ses bagages.

Son assistant parut brusquement recouvrer ses

esprits et prit la clé qui se trouvait sur le tableau derrière lui.

— J'espère que la chambre sera à votre convenance, déclara B.J. en se forçant à sourire à Darla. N'hésitez pas à faire appel à nous si vous avez besoin de quoi que ce soit.

Sur ce, elle fit mine de s'éloigner.

— Je passerai vous voir tout à l'heure, lui dit Taylor.

B.J. se tourna vers lui.

— Mais certainement, monsieur Reynolds, répondit-elle d'une voix acidulée. Je reste à votre entière disposition. Bienvenue à Lakeside Inn, mademoiselle Trainor, ajouta-t-elle. Je vous souhaite un excellent séjour parmi nous.

Taylor demeura en compagnie de Darla Trainor durant la majeure partie de la journée et B.J. n'eut donc aucun mal à l'éviter. Elle ne put cependant s'empêcher de remarquer qu'ils passaient beaucoup de temps dans la chambre de la décoratrice et en conclut que celle-ci n'opposait peut-être pas à Taylor une résistance aussi farouche qu'elle-même.

Cette idée, loin de la réconforter, fit naître en elle une sensation qui ressemblait fort à de la jalousie. Elle essaya de se convaincre qu'il ne s'agissait en fait que d'un simple sursaut d'amour-propre.

Car si ce qu'elle soupçonnait était fondé, cela

signifiait que Taylor n'avait pas mis longtemps à la remplacer. Pour lui démontrer qu'elle ne s'en souciait pas le moins du monde, B.J. appela Howard Beall et convint de le retrouver le lendemain soir.

Il n'était peut-être pas aussi séduisant que Taylor, mais, au moins, il ne la laisserait pas tomber pour quelques Martini en compagnie d'une pseudo-décoratrice qui ressemblait à Cindy Crawford…

Ce soir-là, B.J. choisit avec un soin tout particulier la tenue qu'elle porterait pour dîner. Après mûre réflexion, elle se décida pour une robe de soie noire qui mettait parfaitement en valeur sa silhouette. Le col fermé par une rangée de petits boutons de nacre soulignait sa poitrine menue et la finesse de son cou. La jupe, légèrement fendue, révélait le galbe de ses mollets.

Elle décida de ne pas attacher ses cheveux et se contenta de les laisser retomber en cascade dorée sur ses épaules. Pour parfaire l'ensemble, elle ajouta une pointe de maquillage et une légère touche de parfum. Lorsqu'elle fut prête, elle observa attentivement le résultat dans sa glace et sourit.

Elle n'était pas aussi parfaite que Darla Trainor mais, en la voyant, Taylor regretterait peut-être l'occasion qu'il avait définitivement ratée. Satisfaite, la jeune femme quitta sa chambre et descendit l'escalier pour gagner le restaurant.

Là, elle aperçut Taylor et Darla, qui s'étaient installés à une table située légèrement à l'écart, comme s'ils tenaient à préserver leur intimité. Malgré elle, B.J. sentit son cœur se serrer dans sa poitrine.

Ils formaient indubitablement un très joli couple, songea-t-elle. Il émanait d'eux un mélange de sophistication et d'élégance qui les distinguait de tous les autres convives présents et les rendait presque intimidants.

Comme B.J. hésitait sur le seuil de la pièce, Taylor l'aperçut. Son regard glissa sur la jeune femme et elle sentit naître sur sa peau un léger fourmillement, comme s'il venait de l'effleurer. Elle s'efforça pourtant de ne rien laisser paraître de son trouble.

Lorsque Taylor eut achevé son inspection, il fit signe à B.J. de le rejoindre. Cela suffit à éveiller en elle une colère froide. S'imaginait-il qu'elle était à son service ? Qu'il lui suffisait d'un geste pour qu'elle se précipite vers lui ? Pour qui se prenait-il donc ?

La voix de la raison lui souffla que, quoi qu'elle puisse penser de lui, il n'en restait pas moins le propriétaire de l'auberge et qu'elle était son employée. Que cela lui plaise ou non, elle devait lui obéir.

Elle prit pourtant tout son temps pour le faire,

s'arrêtant délibérément auprès de plusieurs clients pour échanger quelques mots. Lorsqu'elle rejoignit enfin Taylor et Darla, elle leur adressa son sourire le plus professionnel.

— Bonsoir, leur dit-elle. J'espère que votre repas se passe bien.

— C'est absolument délicieux, comme toujours, répondit Taylor en se levant pour offrir une chaise à la jeune femme.

Elle hésita un instant avant de s'asseoir, décidant qu'elle n'avait rien à gagner en le provoquant inutilement.

— Votre chambre est-elle à votre convenance, mademoiselle Trainor ? demanda-t-elle.

— Tout à fait, acquiesça celle-ci avec un sourire indulgent. Même si la décoration m'a quelque peu étonnée.

— Vous boirez bien un verre avec nous, suggéra alors Taylor.

— Volontiers, répondit B.J. à contrecœur. Je prendrai un kir, ajouta-t-elle à l'intention de Dot, qui venait de les rejoindre.

Taylor commanda un verre de vin blanc et Darla une coupe de champagne.

— Puis-je savoir ce qui vous a surprise ? s'enquit alors B.J.

— A vrai dire, je ne pensais pas que cette auberge serait si… provinciale. Evidemment, j'ai remarqué quelques jolis meubles anciens mais j'avoue que, comme Taylor, mes goûts en matière de décoration hôtelière me portent plus vers le contemporain.

— Puis-je savoir comment vous imagineriez les chambres, dans ce cas ? demanda B.J. en s'efforçant de maîtriser la colère qui bouillonnait en elle.

— Tout d'abord, je changerais l'éclairage, déclara Darla d'un ton pensif. Les lampes sont archaïques et je les remplacerais par des néons installés dans les plinthes. Cela donnerait quelque chose de plus tamisé, de moins jaune… Evidemment, j'enlèverais les papiers peints qui sont terriblement démodés. J'opterais sans doute pour une tapisserie beige clair ou saumon. Le parquet n'est pas parfait mais je crois qu'une fois vitrifié il fera l'affaire. Par contre, la salle de bains est un véritable désastre. Ces baignoires sont d'un autre âge.

Darla s'interrompit pour porter sa coupe de champagne à ses lèvres.

— Nos clients ont toujours trouvé que ces baignoires avaient beaucoup de charme, objecta B.J.

— Je n'en doute pas. Mais, une fois que nous aurons procédé aux changements qui s'imposent, je suis persuadée que votre clientèle évoluera rapidement. La région est très belle et située à proximité de grands centres urbains. Des prestations de luxe attireraient certainement de nombreux cadres supérieurs à la recherche d'un week-end de tranquillité.

Darla sortit un paquet de cigarettes de son sac à main et en alluma une. Elle exhala une bouffée avec un plaisir évident sans se soucier le moins du monde du panneau qui indiquait que la salle à manger était un lieu non-fumeur.

— Et vous ? demanda B.J. à Taylor. Est-ce que vous avez également quelque chose contre les vieilles baignoires ?

— Je dirais qu'elles conviennent parfaitement à l'atmosphère actuelle de l'auberge. Mais Darla a raison : si nous voulons attirer de nouveaux clients, il faudra probablement effectuer certaines transformations.

— Je vois, s'exclama B.J., furieuse. Dans ce cas, laissez-moi vous faire quelques suggestions, à tous les deux. Que diriez-vous d'installer des miroirs au plafond des chambres ? Cela leur donnerait un petit côté décadent qui leur manque. Du chrome et du verre. Des murs blancs. Et un lit rond géant avec des coussins fuchsia. Vous aimez le fuchsia, n'est-ce pas, Taylor ?

— Je ne crois pas avoir sollicité votre avis en matière de décoration, répondit ce dernier un peu sèchement.

Dans ses yeux, elle lisait une colère naissante

et elle comprit brusquement qu'elle était en train d'aller trop loin. Mais c'était plus fort qu'elle. Elle ne pouvait tout de même pas les laisser défigurer cette auberge et la priver de tout son charme.

— J'ai bien peur que vos goûts ne soient quelque peu vulgaires, remarqua Darla, encouragée par la réprobation de Taylor.

— Vraiment ? dit B.J., narquoise. Je suppose que cela ne devrait pas vous étonner. Après tout, je ne suis qu'une provinciale pas très au fait des dernières tendances contemporaines…

— Je suis certaine que mes propositions te conviendront, Taylor, déclara Darla sans relever la remarque caustique de la jeune femme.

Elle plaça doucement la main sur son bras et B.J. sentit sa colère monter d'un cran. Il était évident que tous deux étaient bien trop proches pour qu'elle puisse espérer faire entendre sa voix.

— Bien sûr, reprit Darla, cela prendra un peu de temps. Après tout, nous parlons d'une transformation drastique et pas de simples aménagements.

— Prenez tout le temps que vous voudrez, répliqua B.J. en se levant brusquement. Mais, en attendant, ne vous avisez pas de toucher à mes baignoires !

Sur ce, elle s'éloigna à grands pas, manquant de percuter Dot, qui revenait prendre leur commande.

— Sers-leur une généreuse portion d'arsenic, lui dit-elle. C'est la maison qui invite !

Ignorant l'expression stupéfaite de la serveuse, elle traversa alors la salle à manger et quitta la pièce. Comme elle débouchait dans le hall, elle aperçut la commode rustique et les aquarelles accrochées aux murs. Rageusement, elle songea qu'elles seraient bientôt remplacées par une étagère asymétrique noir et blanc et des lithographies d'art contemporain. Quant au Gramophone qui avait tant étonné Taylor, il céderait probablement la place à une chaîne hi-fi dernier cri.

Comment pouvaient-ils être aussi stupides ? se demanda-t-elle. Ne voyaient-ils pas que chaque pièce portait la marque du temps et s'inscrivait dans une tradition qui façonnait la personnalité même de l'auberge ? Que c'était justement ce qui la rendait si attachante pour leurs clients ?

Chaque chambre était unique et possédait sa propre personnalité. Dans celle de Darla étaient accrochée une série de pastels qui formaient un savant contraste avec ce papier peint dont elle faisait si peu de cas.

Il y avait une fenêtre en alcôve d'où l'on pouvait contempler le parc et le lac qui s'étendait au-delà. Quant au mobilier, il renfermait un véritable trésor : un petit secrétaire en noyer qui dissimulait en son sein plusieurs tiroirs secrets.

Et combien de fois B.J. avait-elle entendu les clients qui avaient séjourné dans cette chambre louer le calme et la sérénité qui y régnaient ?

Mais, bientôt, tous ces trésors disparaîtraient pour céder la place à une décoration aussi stylée qu'anonyme, aussi moderne que dénuée de tout caractère. Et B.J. se refusait à l'accepter.

Si Taylor devait vraiment laisser carte blanche à Darla, elle n'aurait d'autre choix que de démissionner. Et, cette fois, elle ne se laisserait pas intimider par ses menaces ou ses tentatives de chantage. Mais, en attendant, elle ferait tout son possible pour éviter qu'une telle catastrophe ne se produise.

Forte de cette résolution, B.J. monta dans sa chambre. Comme elle y pénétrait, elle aperçut son reflet dans le miroir en pied qui trônait près du petit bureau. Et cette vision acheva de la déprimer. La tenue qu'elle portait ne faisait que souligner la différence irréductible qui existait entre Darla et elle.

La jeune décoratrice possédait une grâce et une sophistication qu'elle ne pouvait espérer égaler. Et, aux yeux d'un homme comme Taylor, elle devait paraître bien quelconque : une fille de la campagne dénuée du raffinement des femmes qu'il fréquentait d'ordinaire.

Serrant les dents, B.J. songea que cela n'avait

aucune importance. Son but n'était pas de le séduire mais de le convaincre de la justesse de ses arguments.

D'un autre côté, Darla paraissait très intime avec lui. Et, si elle était vraiment l'une de ses maîtresses comme le laissaient supposer le temps qu'ils avaient passé dans sa chambre et la familiarité dont elle faisait preuve à son égard, elle possédait un avantage évident sur B.J. qui ne pouvait se prévaloir que de ses compétences professionnelles.

Cela ne l'empêcherait pourtant pas de se battre, décida-t-elle en gagnant la salle de bains pour se brosser les dents. Après tout, elle avait consacré des années de sa vie à cette auberge et, au fil du temps, elle s'y était beaucoup attachée.

Ne connaissait-elle pas mieux que personne les clients qui fréquentaient régulièrement l'établissement ? N'était-elle pas dépositaire des années qu'avaient passées ses prédécesseurs à aménager et à gérer cet endroit ?

La lutte qu'elle s'apprêtait à mener dépassait d'ailleurs ces simples considérations. Elle reflétait le combat de tous ceux qui restaient attachés à la tradition et refusaient de céder devant les sirènes d'un progrès qui transformait les lieux comme les gens en clones anonymes.

Comme elle se faisait cette réflexion, elle entendit

la porte de sa chambre s'ouvrir. Stupéfaite, elle reposa sa brosse à dents et quitta la salle de bains pour se retrouver face à Taylor.

— Comment êtes-vous entré ? demanda-t-elle, choquée par son attitude cavalière.

— Vous m'avez donné un passe, répondit-il en haussant les épaules.

— Le fait d'être propriétaire de l'auberge ne vous donne pas le droit de pénétrer dans ma chambre de cette façon, objecta-t-elle vivement.

— Je crois que je n'ai pas été suffisamment clair à votre égard, répondit Taylor en s'approchant d'elle. Et je tenais à préciser ma pensée si tel est le cas. Pour le moment, je vous ai laissé une liberté totale en ce qui concerne la gestion de l'hôtel au quotidien. Je n'ai pas empiété sur vos prérogatives et n'ai aucune intention de le faire. Néanmoins, je me réserve le droit de prendre toute décision concernant l'avenir de cet établissement.

— Mais…, commença B.J.

— Il est inutile de protester, l'interrompit Taylor. Cette décision n'est pas sujette à débat. Cela vous paraît peut-être tyrannique, pour reprendre votre propre expression, mais je crois que vous oubliez un peu trop facilement que cette auberge représente un capital dont vous n'êtes pas propriétaire. De plus, ce n'est pas vous qui assumez les risques financiers liés à son exploitation. Et je ne tolérerai pas que vous donniez des ordres à Darla, qui se trouve être l'une de mes employées et ne relève aucunement de votre autorité. C'est moi et moi seul qui suis habilité à lui dire ce qu'elle doit faire et quand elle doit le faire.

— Ce n'est pas cela que je remets en cause, protesta vivement B.J., se sentant prise en faute. Je ne fais que souligner ce que vous paraissez tous deux ne pas remarquer. Les vieilleries que condamne si allègrement Mlle Trainor sont pour la plupart des antiquités de prix. La desserte de la salle à manger est un authentique Hepplewhite. Votre propre chambre renferme deux meubles Chippendale. Quant au Gramophone dont vous vous moquiez, il vaut une véritable fortune…

Taylor fit un pas de plus vers la jeune femme et posa la main sur son cou, interrompant brusquement son éloquent plaidoyer. Elle avait terriblement conscience de sa force et, même si la pression de ses doigts était infime, son geste n'en conservait pas moins un caractère menaçant.

— Ce que je demande à Darla ne regarde que moi, dit-il d'une voix vibrante de colère.

Ses yeux noirs brillaient maintenant d'une rage contenue et B.J. comprit qu'elle avait outrepassé les limites de sa patience.

— J'aimerais donc que vous gardiez vos opinions pour vous ou que vous m'en fassiez part en privé avant d'en faire état devant des tiers. Si vous persistez à interférer dans mes décisions, je vous le ferai regretter amèrement. Est-ce bien compris ?

— Parfaitement, répondit B.J. d'une voix sourde. Et je ne me laisserai plus influencer par la nature de vos relations avec Mlle Trainor.

— Tant mieux. Parce qu'elles ne vous regardent nullement.

— Mais je tiens à vous dire que je continuerai à vous faire part de ma plus extrême réserve concernant vos projets d'aménagement. Lorsque vous m'en avez parlé, je vous ai proposé ma démission et vous l'avez refusée. Je considère donc qu'il est de ma responsabilité de gérante de défendre les intérêts de cet établissement. Si vous n'êtes pas d'accord, vous pouvez toujours me renvoyer.

— Ne me tentez pas, répondit Taylor en laissant glisser sa main un peu plus bas sur la gorge de la jeune femme. J'ai de bonnes raisons de vous maintenir à votre poste, mais votre attitude pourrait finir par me pousser à bout. Je vous ai promis que je vous informerais de toute modification que je déciderais d'apporter à l'auberge et je tiendrai parole. Mais si vous persistez à vous montrer discourtoise envers mes autres employés, je n'aurai d'autre choix que de vous licencier pour faute professionnelle.

— Je ne suis pas certaine que Darla Trainor ait besoin de votre protection, railla B.J.

— Vraiment ? répondit Taylor avec une pointe d'amusement. Il me semble pourtant que cette robe que vous avez choisie est une véritable déclaration de guerre. Pourquoi avez-vous décidé de la porter précisément ce soir ? Jusqu'à présent, vous aviez opté pour des tenues beaucoup plus décontractées et moins ouvertement séductrices.

Tout en parlant, Taylor avait commencé à déboutonner sa robe. Fascinée par son regard de braise, B.J. ne trouva pas la force de protester.

— Je ne vois pas de quoi vous voulez parler, protesta-t-elle faiblement. Vous feriez mieux de partir, à présent.

— Vous ne pensez pas ce que vous dites.

Comme pour le lui prouver, Taylor écarta le col de sa robe, révélant la naissance de ses seins. Elle sentit ses doigts effleurer sa peau nue et frissonna des pieds à la tête. Il l'attira alors de nouveau contre lui.

— Vous me désirez autant que je vous désire, lui dit-il.

Comme B.J. s'apprêtait à protester, il l'embrassa. Une fois de plus, l'attirance qui les poussait l'un vers l'autre eut raison de tous les arguments sensés qu'elle aurait pu lui opposer.

Fermant les yeux, elle s'abandonna avec fatalisme au désir qui la submergeait déjà, balayant toute volonté. C'était plus fort qu'elle. Taylor faisait naître en elle un besoin primaire, absolu, contre lequel elle était complètement démunie.

Comme elle capitulait, l'audace de Taylor s'accrut encore et elle n'eut pas la force de lui résister. Elle offrit son corps à ses caresses, sa bouche à ses baisers passionnés et sombra dans un tourbillon de sensations vertigineuses.

Une petite partie d'elle était horrifiée par cette preuve de faiblesse et lui soufflait qu'elle regretterait amèrement de s'être laissée aller à ses pulsions. Mais c'était son corps qui avait pris les commandes et il n'entendait pas se laisser priver des délices que lui offrait Taylor.

Lorsqu'il délaissa sa bouche pour mordiller sa gorge, elle rejeta la tête en arrière et s'accrocha à ses épaules, incapable de retenir les soupirs de plaisir qui lui montaient aux lèvres. Un nouveau baiser suivit, plus enivrant encore que le premier.

Et, brusquement, elle comprit que l'intensité de sa réaction ne pouvait s'expliquer uniquement par l'indéniable attirance physique qu'il exerçait sur elle. Avec une clarté terrifiante, elle réalisa que, sans même s'en apercevoir, elle avait franchi la limite qu'elle s'était juré de ne pas dépasser.

Elle était tombée amoureuse.

Ce n'était pas seulement son corps qui la poussait vers Taylor. Il avait su conquérir son cœur et chaque frisson qu'il éveillait sur sa peau se répercutait au plus profond d'elle, touchant son âme même.

Cette certitude l'emplit d'un profond désespoir. Car ses sentiments à l'égard de Taylor la condamneraient sans doute aux plus amères déceptions. Elle ne pouvait imaginer qu'une fois épuisée la nouveauté de leur liaison il puisse décider de rester auprès d'elle.

Sa vie était ailleurs, dans ces buildings de verre et d'acier où l'argent ne se comptait qu'en millions de dollars, auprès de ces femmes improbables dont la photo s'étalait dans les magazines. Il lui faudrait à peine quelques semaines pour l'oublier et reprendre son existence habituelle, sans même se douter que, quelque part en Nouvelle-Angleterre, une femme au cœur brisé rêvait encore aux quelques moments de bonheur qu'ils avaient partagés.

Malheureusement, ces sombres présages ne suffisaient pas à endiguer le trouble que lui inspirait Taylor. Chacune de ses caresses, chacun de ses baisers alimentaient un peu plus la flamme qui brûlait en elle, menaçant de la dévorer tout entière.

Brusquement, il s'immobilisa et se recula légèrement, éveillant en elle une terrible sensation de vide et de manque. Instinctivement, elle se serra contre lui et lui tendit ses lèvres.

— Admettez-le, murmura-t-il en les effleurant des siennes. Admettez que vous me désirez et que vous voulez me voir rester.

— Oui, avoua-t-elle en nichant son visage contre son épaule. Je vous désire comme je n'ai jamais désiré personne auparavant. Et je veux que vous restiez.

Il lui prit doucement le menton au creux de sa main et la força à le regarder. Dans ses yeux, elle lut mille sentiments contradictoires : du désir, du triomphe et aussi une frustration qu'elle ne s'expliquait pas.

De toutes ses forces, elle résista à l'envie qu'elle avait de l'attirer à elle et de sentir de nouveau sa bouche sur la sienne. Taylor, quant à lui, se contentait de la regarder comme s'il voulait lire au plus profond d'elle-même.

Elle craignit un instant qu'il ne perçoive ses sentiments naissants. Cela lui aurait donné sur elle une emprise absolue et cette simple idée la terrifiait. Mais, finalement, le visage de Taylor se ferma et elle vit briller dans ses yeux une lueur de colère.

Lorsqu'il parla, sa voix était froide et détachée, aussi douloureuse qu'une gifle en plein visage.

— Il semble bien que nous ayons perdu de vue l'objectif initial de cette discussion, lui dit-il.

Reculant d'un pas, il plongea ses mains dans les poches de son pantalon.

— J'espère néanmoins m'être montré assez clair, ajouta-t-il d'un ton posé.

La jeune femme sentit le sol tanguer sous ses pieds. Comment pouvait-il lui parler de cette façon après ce qui venait de se passer entre eux ? Ne voyait-il pas combien elle avait envie de lui ?

— Taylor, je…

— Nous en discuterons demain, l'interrompit-il, impitoyable. J'espère que vous collaborerez pleinement avec Mlle Trainor et que vous ferez preuve à son égard de toute la courtoisie qui lui est due. Quels que soient vos différends personnels, elle réside à l'auberge et doit être traitée avec respect et politesse.

— Bien sûr, articula B.J., incapable de retenir les larmes qui lui montaient aux yeux. J'accorderai à Mlle Trainor toute la considération qu'elle mérite.

Profondément humiliée, elle s'essuya les yeux du revers de la main.

— Vous avez ma parole, ajouta-t-elle d'une voix tremblante.

Taylor fit un pas dans sa direction mais B.J. se détourna brusquement et gagna la salle de bains dans laquelle elle s'enferma à double tour.

— Allez-vous-en, s'exclama-t-elle, incapable de retenir les sanglots qui la secouaient à présent.

Mais Taylor frappa à la porte.

— Allez-vous-en et laissez-moi tranquille ! lui dit-elle. Je vous ai donné ma parole.

— B.J., ouvrez cette porte, ordonna-t-il.

La colère qu'elle percevait dans sa voix ne fit qu'alimenter son propre désespoir. Comment avait-elle pu être assez stupide pour s'imaginer qu'il la désirait vraiment ?

— Je ne veux plus vous voir, lui cria-t-elle. Allez retrouver votre précieuse Darla et fichez-moi la paix ! J'obéirai à vos ordres mais, ce soir, je ne suis pas de service !

Taylor poussa un juron et, après quelques instants, il quitta la chambre en claquant la porte derrière lui. B.J., quant à elle, resta longuement prostrée sur le sol carrelé de la salle de bains, pleurant toutes les larmes de son corps.

Chapitre 8

— Tu peux être fière de toi, marmonna B.J. en jetant un regard accusateur au reflet que lui renvoyait la glace, ce matin-là.

Une fois de plus, elle s'était rendue complètement ridicule. Non seulement elle s'était offerte à Taylor alors qu'il venait de la chapitrer durement mais, en plus, il l'avait repoussée sans ménagement.

Bien sûr, ce n'était pas entièrement sa faute. Après tout, n'était-ce pas lui qui flirtait avec elle de façon éhontée ? Qui l'avait embrassée à plusieurs reprises ? Qui l'avait entraînée de force à ce pique-nique où il l'avait conquise à force de caresses ? Qui avait commencé à la déshabiller, la veille ?

Etait-il surprenant, dès lors, qu'elle ait fini par tomber amoureuse de lui ? Car c'était bien ce qui lui était arrivé, qu'elle le veuille ou non. Elle ne l'avait pas choisi et aurait certainement préféré que les choses se passent différemment. Mais cela ne changeait rien à la réalité de ses sentiments.

Sa propre attitude à l'égard de Darla ne s'expliquait pas uniquement par leurs divergences d'opinions en matière de décoration. Elle était jalouse. Et Taylor avait vu juste : c'était pour cette raison qu'elle avait choisi cette robe noire qui, elle le savait, la mettait en valeur.

Evidemment, elle n'avait probablement aucune chance face à cette femme fatale aux manières policées et aux goûts très sûrs. Elle n'était pas une femme du monde, ne maîtrisait pas ces petits détails qui conféraient à Darla ce mélange détonant d'élégance et de raffinement.

Si Taylor devait choisir entre elles, il ne faisait guère de doute qu'il opterait pour la belle déco-ratrice. Après tout, ils étaient du même monde, partageaient les mêmes valeurs et évoluaient probablement dans les mêmes cercles.

A ses yeux, une liaison avec B.J. n'avait proba-blement aucun avenir. Il s'agissait d'une simple aventure, d'un moyen de passer le temps pendant qu'il séjournait dans ce coin perdu de la Nouvelle-Angleterre.

Et elle ne pouvait se résoudre à l'accepter. Elle ne se contenterait pas d'être une simple distrac-tion, un vulgaire passe-temps. Malheureusement, c'était probablement plus facile à dire qu'à faire, songea-t-elle amèrement.

Comment était-elle censée résister à un homme dont les baisers lui faisaient perdre la raison, dont les caresses éveillaient en elle un désir si ardent qu'il balayait toute prudence et toute modestie ?

La nuit précédente, elle se serait offerte sans hésiter un seul instant, ne demandant rien d'autre que la satisfaction de ce besoin impérieux qu'elle avait de lui. Et, ce matin, il l'aurait certainement quittée sans un regard, honteux, peut-être, de ce moment de faiblesse.

Comment avait-elle pu être aussi stupide ?

Heureusement, Taylor avait eu suffisamment de maîtrise de soi pour ne pas céder à son invitation. Mais cette marque de respect ne rendait la situation que plus humiliante aux yeux de la jeune femme.

A moins, songea-t-elle tristement, qu'il n'ait tout simplement préféré passer la nuit avec Darla. Cette simple idée lui était intolérable. Lorsqu'elle les imaginait en train de s'embrasser, elle sentait sa gorge se serrer sous l'effet combiné de la tristesse, de la frustration et de la jalousie.

Pendant plus de dix minutes, elle essaya de se raisonner, se répétant qu'un amour qui n'était pas payé de retour ne pouvait se solder que par de l'amertume et de la déception. Elle devait oublier Taylor. Ne voir en lui que le propriétaire de l'auberge et non l'homme qui savait faire naître en elle un désir qui dépassait tout ce qu'elle avait connu jusqu'alors.

Ce serait sans doute l'une des choses les plus difficiles qu'il lui eût jamais été donné de faire mais elle n'avait pas le choix. Toute autre attitude relèverait d'une forme aiguë de masochisme.

Bien décidée à affronter les épreuves que lui réservait cette nouvelle journée, elle attacha ses cheveux, prit une profonde inspiration et quitta sa chambre. Dans le hall, Eddie l'informa que Taylor s'était déjà installé dans son bureau et que Darla n'était pas encore levée.

Pour les éviter, B.J. consacra une bonne partie de la matinée dans le bar dont elle effectua l'inventaire afin d'établir une nouvelle commande avant les vacances d'été.

Ce fut là que Darla finit par la trouver.

— Alors voici le fameux bar ! s'exclama-t-elle en contemplant la pièce d'un œil critique.

Résignée, B.J. avisa le tailleur élégant qu'elle portait et qui devait avoir été dessiné par un grand couturier parisien. La décoratrice tenait à la main un calepin sur lequel elle avait déjà inscrit un nombre conséquent de notes dont B.J. préférait ignorer la teneur.

Darla s'approcha de l'antique comptoir en chêne derrière lequel se trouvait la jeune femme et secoua la tête d'un air désolé.

— J'ai l'impression de me retrouver dans les années 50, soupira-t-elle.

B.J. se mordit la langue pour retenir la réplique acerbe qui lui démangeait les lèvres.

— Servez-moi un vermouth, lui demanda Darla en prenant place sur l'un des tabourets.

Piquée au vif par le manque de considération dont elle faisait preuve à son égard, B.J. faillit lui répondre qu'elle pouvait très bien se servir elle-même. Mais elle se rappela alors la promesse qu'elle avait faite à Taylor et se résigna à remplir un verre qu'elle plaça devant Darla.

— Souvenez-vous que je ne fais que mon travail, déclara celle-ci avec un sourire aussi cordial qu'artificiel. Vous ne devez pas prendre mes remarques comme une critique personnelle.

— Vous avez sans doute raison, concéda B.J. à contrecœur. Mais je suis très attachée à Lakeside Inn. Cette auberge est beaucoup plus qu'un simple lieu de travail pour moi.

— C'est effectivement ce que m'a dit Taylor. Cela paraissait d'ailleurs beaucoup l'amuser.

— Vraiment? fit B.J. d'une voix mal assurée.

L'idée que Taylor puisse la considérer avec une telle condescendance la blessait bien plus encore qu'elle n'aurait pu l'imaginer. En fait, Darla n'aurait pas pu trouver meilleur moyen de lui faire du mal si elle l'avait voulu.

— Il a un curieux sens de l'humour, ajouta-t-elle en s'efforçant de dissimuler sa détresse.

— C'est vrai. Je le connais depuis longtemps mais il arrive encore à m'étonner. En tout cas, il semble penser que vous êtes une employée compétente. Il dit que vous avez un don inné pour mettre les gens à l'aise. Mais il regrette que vous soyez si rétive à son autorité. C'est un homme de pouvoir, vous savez, et il n'hésite pas à recourir à des méthodes peu orthodoxes pour obtenir ce qu'il désire.

— Je suis certaine que vous êtes bien placée pour en parler, ne put s'empêcher de répondre B.J.

— C'est vrai. Taylor et moi sommes plus que de simples collaborateurs. Et je sais qu'il lui arrive de mêler le plaisir et le travail.

— Vraiment ? articula B.J., livide.

— Oui. Mais je ne saurais vous conseiller de capitaliser sur un éventuel investissement émotionnel de sa part, lui dit Darla en lui jetant un regard lourd de sous-entendus. Il n'a aucune patience et ne supporte ni les scènes ni les complications.

B.J. se rappela la colère de Taylor lorsqu'elle avait fondu en larmes et jugea que Darla avait probablement raison.

— Je vous dis cela en toute amitié, reprit celle-ci en souriant d'un air affable. Ne vous attachez pas trop à lui. Et n'empiétez pas sur mon territoire.

— Est-ce que vous voulez parler de Taylor ou

de vos opinions concernant la décoration intérieure de l'auberge ? demanda B.J.

— Disons qu'il s'agit d'une considération générale.

Se penchant en avant, Darla posa la main sur le poignet de la jeune femme et le serra violemment. B.J. sentit ses ongles soigneusement manucurés s'enfoncer impitoyablement dans sa chair.

— Et si vous n'en tenez pas compte, je ne donne pas cher de votre statut de gérante.

— Lâchez-moi immédiatement ! s'exclama B.J., furieuse de se voir ainsi menacée.

Darla s'exécuta et porta langoureusement son verre à ses lèvres.

— L'essentiel est que nous nous comprenions, toutes les deux, mademoiselle Clark, conclut-elle avec un charmant sourire.

— Ne vous en faites pas, lui assura B.J. d'un air de défi. J'ai bien reçu le message.

S'emparant du verre vide de Darla, elle le plaça dans l'évier.

— Le bar est fermé à cette heure-ci, mademoiselle Trainor, déclara-t-elle en se détournant pour reprendre son inventaire.

— Quelle surprise ! s'exclama Taylor en pénétrant dans la pièce. Je ne pensais pas vous trouver ici toutes les deux à une heure pareille.

Sa voix trahissait une certaine ironie mais,

en l'observant plus attentivement, B.J. avisa la réprobation qui se lisait dans son regard. Il les soupçonnait probablement de s'être de nouveau disputées.

— J'ai fait le tour de l'auberge pour prendre des notes, expliqua Darla en se rapprochant de lui. Et j'ai bien peur que cette pièce, comme la plupart des autres, ne nécessite une rénovation en profondeur. Son seul mérite est sa taille. On pourrait aisément y disposer deux fois plus de tables. Par contre, la décoration est totalement dénuée de cachet. Il faudra que tu me dises ce que tu comptes en faire : un bar moderne et branché ou une salle de détente. En fait, il serait même possible de couper la salle en deux pour jouer sur les deux tableaux comme nous l'avons fait à San Francisco.

Taylor marmonna un acquiescement qui n'engageait à rien mais ses yeux ne quittaient pas B.J.

— J'irai jeter un coup d'œil à la salle à manger lorsque les clients auront fini de déjeuner, ajouta Darla avec un sourire. Tu pourrais peut-être venir avec moi et me donner ton avis sur la question.

— Je n'ai pas encore pris de décision à ce sujet, répondit-il. Je te laisse te faire ta propre idée et nous en reparlerons plus tard, d'accord ?

Comprenant qu'elle venait d'être congédiée, Darla

tiqua. Mais elle était bien trop maîtresse d'elle-même pour laisser paraître son mécontentement.

— Parfait ! s'exclama-t-elle d'un ton faussement enjoué. Je passerai te voir dans ton bureau lorsque j'aurai fait le tour de l'auberge et nous discuterons de tout cela.

Sur ce, elle s'éloigna d'un pas décidé, laissant derrière elle l'odeur subtile et élégante de son parfum.

— Voulez-vous boire quelque chose ? demanda B.J. à Taylor.

— Non. A vrai dire, je voulais vous parler.

La jeune femme continua son inventaire, se forçant à ne pas le regarder en face. Elle craignait trop de succomber une fois de plus à son charme.

— Je pensais que vous m'aviez exposé tout ce que vous aviez à me dire, hier soir, remarqua-t-elle d'un ton qui se voulait léger mais trahissait la tension qui l'habitait.

— Pas tout à fait, répondit Taylor. Pourriez-vous me regarder ? Il n'est pas agréable de parler à quelqu'un qui vous tourne le dos.

— Très bien, soupira-t-elle en se retournant. C'est vous le patron, après tout. Vous me l'avez fait clairement comprendre.

— Est-ce que vous aimez me provoquer, B.J., ou est-ce chez vous une seconde nature ?

— Je ne sais pas, répliqua-t-elle. Prenez-le comme vous voulez.

Brusquement, une idée lui traversa l'esprit et elle se figea, stupéfaite de ne pas y avoir pensé auparavant.

— Taylor, dit-elle, le cœur battant. Il y a quelque chose dont j'aimerais vous parler. Nous ne sommes pas d'accord quant à ce qu'il convient de faire de cette auberge. Et vous savez combien elle est importante à mes yeux. Je me demandais donc si vous envisageriez de me la vendre. Vous pourriez alors acheter un terrain dans la région et faire construire le centre de vacances dont vous rêvez. Et vous ne seriez pas handicapé par une structure préexistante.

— C'est absurde, protesta Taylor. Où trouveriez-vous l'argent nécessaire pour effectuer un tel investissement ?

— Je ne sais pas, avoua la jeune femme. Je pourrais contracter un emprunt auprès de ma banque. Et solliciter la participation des employés. Je suis sûre que certains d'entre eux seraient prêts à s'associer pour racheter l'hôtel.

— Il n'en est pas question, déclara posément Taylor en se rapprochant du bar. Je n'ai aucunement l'intention de vendre ce que je viens tout juste d'acheter.

— Mais je…

— Il est inutile d'insister, l'interrompit-il.

— Je ne comprends pas les raisons de votre entêtement, s'exclama B.J. Pourquoi n'acceptez-vous pas au moins d'en discuter ? Si vous me laissez un peu de temps, je pourrai même peut-être vous offrir plus d'argent que ce que l'établissement vous a coûté initialement.

— Peu importe. Je ne suis pas venu pour discuter de nos différends professionnels mais de questions personnelles.

Tout en parlant, Taylor s'était emparé du poignet de B.J., à l'endroit exact où Darla avait enfoncé ses ongles et elle ne put retenir un petit cri de douleur. Aussitôt, il retira sa main. Déséquilibrée, elle partit en arrière et heurta l'étagère, renversant quelques verres qui se brisèrent sur le sol.

— Mais qu'est-ce qui vous prend ? s'écria Taylor, sidéré. Je vous ai à peine touchée. Pourquoi faut-il que vous réagissiez si violemment chaque fois que je fais mine de m'approcher ? Vous savez pourtant bien que je ne vous veux aucun mal…

Il s'interrompit brusquement, avisant les marques laissées par les ongles de Darla dans la chair de la jeune femme.

— Je suis désolé, s'excusa-t-il, interloqué. Je ne pensais pas avoir serré aussi fort…

Il paraissait se sentir terriblement coupable et

B.J. fut tentée un instant de ne pas corriger sa méprise.

— Ce n'est pas votre faute, lui dit-elle pourtant, refusant de se conduire de façon aussi mesquine. Je me suis blessée, mais vous ne pouviez pas le savoir.

— Mais comment pouvez-vous avoir de telles marques ? s'enquit Taylor en lui prenant le bras pour l'observer de plus près.

B.J. retira aussitôt sa main, craignant qu'il ne reconnaisse la marque des ongles et ne la presse de questions.

— Ce n'est rien, répondit-elle évasivement.

S'accroupissant, elle commença à ramasser les morceaux de verre qui constellaient le plancher.

— Il vaudrait mieux utiliser une balayette, remarqua Taylor. Vous risquez de vous couper.

Comme pour illustrer cette mise en garde, B.J. sentit l'un des tessons lui entailler cruellement la peau et ne put retenir un nouveau cri de douleur. Immédiatement, Taylor contourna le bar et sortit un mouchoir en papier de la poche de sa veste.

— Laissez-moi voir, lui dit-il en l'aidant à se redresser.

Il tamponna délicatement la plaie et vérifia qu'elle ne contenait aucun bout de verre.

— Décidément, il semble que je ne vous attire que des ennuis, soupira-t-il.

— Ce n'est rien, protesta-t-elle, troublée par le contact de sa main. Vous allez tacher votre costume.

— Ce sont les aléas de la guerre, répondit-il en souriant.

Il porta le pouce de B.J. à ses lèvres et y déposa un petit baiser avant de l'entourer du mouchoir.

— Pourquoi vous entêtez-vous à attacher vos cheveux alors qu'ils sont si jolis ? demanda-t-il en ôtant les épingles qui retenaient le chignon de B.J.

Il la contempla alors attentivement et hocha la tête d'un air satisfait. Son sourire ne fit pourtant qu'accentuer le désarroi de la jeune femme qui, à présent qu'elle se trouvait face à lui, réalisait avec une acuité accrue à quel point elle était amoureuse.

— Je me demande comment vous parvenez toujours à me mettre en colère, soupira-t-il. Pour l'instant, vous avez l'air d'un petit animal blessé.

Presque tendrement, il passa une main dans ses longs cheveux blonds et elle sentit une faiblesse familière se communiquer à chacun de ses membres. Une fois de plus, elle brûlait de sentir ses lèvres sur les siennes, mais elle savait à présent que les baisers de Taylor auraient un arrière-goût amer.

— Vous savez que j'ai bien failli défoncer la porte de votre salle de bains, hier, lui dit-il d'une voix très douce. Je ne pouvais pas supporter de vous entendre pleurer.

— Ce n'était pas plus plaisant pour moi, répondit-elle en luttant contre les sanglots qui menaçaient justement de la submerger. Et c'était entièrement votre faute.

— C'est vrai, reconnut-il. Et j'en suis profondément désolé.

B.J. ouvrit de grands yeux, stupéfaite par ce *mea culpa* inattendu. Taylor se pencha alors vers elle et effleura sa bouche d'un baiser. Malgré le désir brûlant qu'elle avait de lui, elle se força à reculer d'un pas.

— Ce n'est pas grave, répondit-elle d'un ton mal assuré.

Taylor la regarda attentivement, comme s'il cherchait à lire ses pensées.

— Venez dîner dans ma chambre, ce soir, lui proposa-t-il. Nous pourrons parler sans être dérangés.

La jeune femme secoua la tête, mais les mots qu'elle aurait voulu prononcer restèrent coincés dans sa gorge. Taylor fit un pas en avant, comblant la distance qu'elle avait mise entre eux.

— Cette fois, je ne vous laisserai pas vous échapper aussi facilement, lui dit-il. Il faut que nous puissions discuter calmement, vous et moi. Vous savez que j'ai envie de vous et…

— Je pense que vous devriez vous contenter de

ce que vous avez déjà au lieu de courir plusieurs lièvres à la fois.

— Qu'est-ce que c'est censé vouloir dire ? demanda Taylor en fronçant les sourcils.

— Je suis sûre que si vous y réfléchissez un peu, vous comprendrez parfaitement, répliqua-t-elle durement.

Elle leva la main pour lui montrer les marques sur son bras. Mais il se contenta de la regarder avec stupeur.

— Peut-être serait-ce plus facile si vous m'expliquiez de quoi il retourne, objecta-t-il enfin.

— Je ne crois pas. Vous considérez peut-être tout cela comme un jeu, Taylor, mais ce n'est pas mon cas. Et, de toute façon, j'ai déjà un rendez-vous de prévu, ce soir.

— Un rendez-vous ? répéta-t-il, suspicieux. Vous voulez dire un rendez-vous amoureux ?

— Vous avez l'air surpris. Mais il se trouve que j'ai une vie privée, répondit-elle en le regardant droit dans les yeux. Et mon contrat de travail ne stipule nulle part que je dois être à votre disposition jour et nuit. D'ailleurs, je suis certaine que Mlle Trainor ne demandera pas mieux que de me remplacer, ce soir.

— Certainement, répondit froidement Taylor. Humiliée par le calme avec lequel il lui avait répondu, B.J. perdit les dernières bribes de sang-froid qu'il lui restait et le foudroya du regard.

— Eh bien, le problème est réglé, dans ce cas, s'exclama-t-elle. Passez une délicieuse soirée, Taylor. Je vous assure que j'ai bien l'intention de faire de même. Maintenant, si vous voulez bien m'excuser, j'ai du travail !

Elle s'éloignait déjà mais il la retint par l'épaule et la força à lui faire face.

— Puisque nous avons tous deux d'autres obligations pour ce soir, il vaudrait peut-être mieux que nous réglions dès maintenant la question qui me préoccupe.

Sans attendre sa réponse, il se pencha vers elle et l'embrassa. B.J. garda obstinément les lèvres fermées, mais il tira ses cheveux en arrière et profita de son petit cri de douleur pour la forcer à lui rendre son baiser.

Malgré elle, la jeune femme sentit déferler en elle une sensation désormais familière et, au bout de quelques instants, elle comprit que toute résistance était inutile. A ce moment précis, Taylor s'arracha à elle.

— Vous avez terminé ? demanda-t-elle d'une voix glacée qui cachait mal le trouble qui l'avait envahie.

En réalité, elle n'avait qu'une envie : qu'il

recommence. Et ce désir avait quelque chose de terriblement humiliant.

— Oh, non, B.J., répondit Taylor, très sûr de lui. Je suis loin d'avoir fini. Mais, pour le moment, vous feriez mieux d'aller désinfecter cette coupure.

Trop furieuse pour formuler une réponse cohérente, elle tourna brusquement les talons et quitta le bar à grands pas. Elle avait l'insupportable impression d'avoir perdu le peu de dignité que Taylor avait jusqu'alors épargnée.

Ne sachant où aller, elle gagna la cuisine au prétexte de se servir un café.

— Qu'est-il arrivé à ta main ? lui demanda Elsie, alarmée, en abandonnant la préparation des madeleines qu'elle était sur le point de mettre au four.

— C'est juste une égratignure, éluda-t-elle en se servant une tasse de café.

— Tu devrais tout de même mettre un peu de teinture d'iode dessus, lui conseilla la cuisinière.

— Ce n'est vraiment pas la peine.

— Ne fais pas l'enfant et assieds-toi, lui ordonna Elsie en allant chercher une petite bouteille de désinfectant et des pansements dans l'armoire à pharmacie.

Elle s'installa en face de la jeune femme et entreprit de la soigner.

— Ça fait mal ! s'exclama B.J. en grimaçant.

Elsie lui banda le doigt et hocha la tête d'un air satisfait.

— Voilà ! lança-t-elle. Cela ne risque plus de s'infecter.

— Est-ce que tout se passe bien ? demanda B.J. après avoir avalé une gorgée de café. Pas de machine en panne ? Pas de rupture de stock de gelée de mûre ?

— Non, tout va bien. Ou plutôt, tout irait bien si cette fille n'était pas venue se fourrer dans mes pattes ce matin.

— Quelle fille ? demanda B.J., surprise.

— Mlle Trainor…

— Qu'a-t-elle encore fait ? soupira la jeune femme.

— Elle n'arrêtait pas de tourner dans la cuisine en faisant des commentaires désobligeants.

— Et qu'est-ce que tu lui as dit ?

— Eh bien, je l'ai jetée dehors, bien sûr ! s'exclama Elsie en haussant ses massives épaules.

B.J. ne put s'empêcher de rire en imaginant la scène. Après tout, Darla n'avait eu que ce qu'elle méritait.

— Elle a dû être furieuse.

— Elle était folle de rage, reconnut la cuisinière avec un sourire malicieux. Mais, dis-moi, il paraît que tu sors avec Howard, ce soir.

B.J. ne s'étonna même pas du fait qu'Elsie soit

au courant. La cuisinière semblait toujours être au fait de ce qui se passait à l'auberge sans que personne ne comprenne réellement comment. Peut-être était-ce simplement parce qu'elle se trouvait près du pot à café où tous venaient se ravitailler au cours de la journée.

— C'est vrai, confirma B.J. Je crois qu'il veut m'emmener au cinéma.

— Je ne comprends vraiment pas pourquoi tu perds ton temps avec lui alors que M. Reynolds est dans les parages, fit observer Elsie.

— Cela fait plaisir à Betty et…

B.J. s'interrompit brusquement, réalisant ce qu'Elsie venait de dire.

— Que vient faire Taylor là-dedans ? demanda-t-elle, stupéfaite.

— Eh bien, tu es amoureuse de lui, n'est-ce pas ? Alors pourquoi sors-tu avec Howard ? demanda la cuisinière sur le ton de l'évidence.

— Je ne suis pas amoureuse de lui ! protesta B.J., passablement sidérée.

— Bien sûr que si ! s'exclama Elsie en riant.

— Mais non.

— Mais si.

— C'est vraiment n'importe quoi ! clama la jeune femme. Comment peux-tu dire une chose pareille ?

— Eh bien, cela fait cinquante ans que je suis

sur cette planète et vingt-quatre ans que je te connais. J'ai fini par comprendre deux ou trois petites choses…

— Dans ce cas précis, tu te trompes du tout au tout.

— Si tu le dis… En tout cas, quand vous vous marierez, j'espère que vous viendrez habiter ici et que tu continueras à diriger l'auberge.

Cette fois, B.J. manqua s'étrangler avec la gorgée de café qu'elle venait d'avaler.

— Je crois que tu devrais continuer à te concentrer sur la cuisine, remarqua-t-elle enfin. Tes talents de voyante laissent vraiment trop à désirer. Il y a plus de chances que Taylor épouse un porc-épic pour aller vivre sur la Lune ! Franchement, cette auberge et moi sommes bien trop provinciales pour un homme comme lui.

— Pour quelqu'un qui ne s'intéresse pas à toi, je trouve qu'il te presse vraiment de très près, remarqua Elsie, narquoise.

— Je suis certaine que, du haut de ces cinquante années de sagesse et d'expérience, tu es parfaitement capable de faire la différence entre une simple attirance physique et la volonté de se marier et de s'installer.

— Eh bien ! On dirait que ma petite B.J. a brusquement grandi, déclara affectueusement Elsie. Mais, quoi que tu puisses en penser, je suis

certaine de ce que j'avance. Je connais suffisamment les hommes pour savoir que, cette fois, il ne
s'agit pas d'un simple engouement passager. Ce
M. Reynolds est bel et bien mordu. Maintenant,
file ! J'ai des côtes de porc à faire cuire et tu m'as
fait suffisamment perdre de temps comme cela !

Comme B.J. se préparait pour son rendez-vous
avec Howard, elle se fit la réflexion qu'elle manquait
peut-être un peu d'autorité. Le matin même,
Darla, Taylor et Elsie l'avaient traitée chacun à
leur manière comme une enfant. Apparemment,
si elle voulait être prise au sérieux, il allait lui
falloir travailler son image.

Comme elle n'était pas partisane de remettre
à plus tard ce qu'elle pouvait faire le jour même,
la jeune femme sortit de son armoire le chemisier que lui avait offert sa grand-mère. Il mettait
parfaitement en valeur son buste et la courbe
de sa poitrine, et soulignait son ventre plat. Elle
choisit également un pantalon noir qui moulait
ses hanches et ses longues jambes.

— Je ne suis pas certaine d'être tout à fait
prête pour ce genre de tenue, murmura-t-elle en
contemplant d'un œil critique le résultat dans sa
glace. Et je ne suis pas sûre non plus que ce soit
le cas d'Howard.

De fait, elle associait souvent dans son esprit

l'image du neveu de Betty à celle d'un petit animal timide. C'était peut-être parce qu'il manquait un peu trop de caractère à son goût. Il était toujours si sage, si réservé et si aimable. Avec lui, elle ne pourrait espérer la moindre fantaisie.

D'un autre côté, songea-t-elle, il était fiable, avait des goûts simples et était doté de valeurs qu'elle partageait et respectait. Et, en cela, il était certainement plus fait pour elle que Taylor Reynolds et ses impitoyables petits jeux de séduction.

Elle décida donc de conserver sa tenue et descendit au rez-de-chaussée pour attendre Howard. Mais, alors qu'elle atteignait la réception, Eddie se précipita vers elle, arborant une expression plus alarmée encore que d'habitude.

— B.J. ! s'exclama-t-il en la rattrapant juste avant qu'elle ne franchisse la porte d'entrée. B.J., il faut que je te parle !

— Eddie, tant que ce n'est pas pour me dire que l'auberge est en train de brûler, cela peut attendre demain, d'accord ? Je dois absolument y aller.

— Mais Maggie a dit que Mlle Trainor avait l'intention de changer la décoration de l'hôtel ! s'écria-t-il d'un air horrifié. Et que M. Reynolds veut le transformer en centre de vacances avec un sauna dans chaque chambre et une salle de jeu illégale !

B.J. sourit, amusée par ces prédictions apocalyptiques. Mais Eddie semblait réellement terrifié à l'idée qu'elles puissent se réaliser et elle ne tenait pas à le laisser dans un tel état.

— Tout d'abord, lui dit-elle, M. Reynolds n'a pas l'intention d'ouvrir une salle de jeu illégale.

— Mais il en possède déjà une à Las Vegas, murmura Eddie sur le ton de la confidence.

— A Las Vegas, le jeu n'est pas illégal, répondit-elle patiemment. C'est même plus ou moins une condition nécessaire pour monter un hôtel rentable.

— Mais Maggie a dit que Mlle Trainor comptait mettre des tapisseries rouges et des tableaux de femmes nues dans le bar !

— C'est absurde ! lança la jeune femme en riant. J'ai entendu M. Reynolds lui-même dire qu'il n'avait encore rien décidé. Et lorsque ce sera le cas, je doute fort qu'il opte pour une décoration aussi radicale.

— Merci pour cette marque de confiance inattendue, fit la voix de leur employeur.

Eddie et B.J. se retournèrent et s'aperçurent qu'il venait tout juste de sortir du bureau.

— Eddie, je crois que les sœurs Bodwin vous cherchent, ajouta-t-il.

— J'y vais tout de suite, monsieur, répondit l'assistant de B.J. en rougissant jusqu'à la racine des cheveux.

Il s'éclipsa prestement, laissant B.J. seule face à

Taylor, ce qu'elle avait ardemment souhaité éviter. Pendant quelques instants, il se contenta de la regarder attentivement, la buvant littéralement du regard et s'attardant sur la naissance de ses seins que dévoilait son décolleté.

— Eh bien, conclut-il avec un sourire ironique, on dirait que vous avez décidé de mettre à l'épreuve le self-control de votre petit ami.

Elle faillit répondre qu'Howard n'était pas son petit ami et qu'elle avait une entière confiance dans ses capacités de résistance. Mais elle jugea préférable de n'en rien faire.

— Cela vous plaît vraiment ? demanda-t-elle en tournant sur elle-même pour lui faire admirer sa tenue.

S'immobilisant, elle lui décocha un sourire charmeur et passa la main dans ses cheveux de façon provocante.

— Disons qu'en de tout autres circonstances j'aurais pu apprécier ces vêtements à leur juste mesure, répondit-il sèchement.

Ravie de constater qu'elle était parvenue à entamer le détachement dont il faisait preuve d'ordinaire, la jeune femme s'approcha de lui et lui tapota doucement la joue.

— Bonne nuit, Taylor, murmura-t-elle d'une voix sirupeuse. Et ne m'attendez pas !

Sur ce, elle passa la porte et sortit d'un pas triomphant.

Dehors, Howard l'attendait au pied des marches. Lorsqu'il la vit approcher, il ouvrit de grands yeux, apparemment stupéfié par sa nouvelle apparence.

Il bégaya un salut et s'empressa de lui ouvrir la portière de sa voiture. Durant le trajet jusqu'à Lakeside, il ne cessa de jeter à B.J. des coups d'œil admiratifs et elle se sentit lentement reprendre confiance en elle. Au moins, certaines personnes paraissaient capables de l'apprécier à sa juste valeur.

Lorsqu'ils parvinrent enfin au centre-ville, la nuit était en train de tomber et la plupart des fenêtres des maisons étaient illuminées. Les rues, en revanche, étaient presque désertes. Comme ils approchaient du quartier où étaient regroupés le cinéma et la plupart des restaurants, ils virent un peu plus d'animation.

Howard se gara sur le parking où stationnait déjà une petite dizaine de véhicules et ils descendirent de voiture. B.J. ne put s'empêcher de sourire en contemplant l'enseigne au néon à laquelle manquait une lettre.

— Crois-tu que M. Jarvis la fera un jour réparer ? demanda-t-elle à Howard. Ou qu'il attendra que toutes les lettres s'éteignent les unes après les autres pour la changer ?

Howard ne répondit pas, se contentant de lui

décocher un coup d'œil qui la mit vaguement mal à l'aise. Jamais elle ne l'avait vu aussi tendu.

Et lorsqu'il lui prit le bras pour l'escorter jusqu'au cinéma, elle fut très étonnée par la façon possessive dont il la serrait contre lui. On aurait dit qu'il cherchait à indiquer au monde entier qu'elle était à lui.

Mais la jeune femme n'était pas au bout de ses surprises. Lorsqu'ils furent installés dans la salle de cinéma, contrairement à ses habitudes, Howard ne toucha quasiment pas au paquet de pop-corn qu'ils avaient acheté.

Au lieu de garder les yeux fixés sur l'écran, il ne cessait de se tourner vers B.J. Dans l'obscurité, elle ne pouvait deviner son expression mais cela ne fit qu'accentuer le malaise qu'elle éprouvait.

Finalement, elle posa une main sur son bras, le faisant violemment sursauter.

— Howard, lui murmura-t-elle, qu'est-ce qui ne va pas ?

Au lieu de lui répondre, il se pencha vers elle, renversant le pop-corn qui restait, et se pressa contre elle pour essayer de l'embrasser. B.J. mit quelques instants à comprendre ce qu'il avait en tête.

Jamais encore il ne s'était montré aussi entreprenant. D'ordinaire, il se contentait d'un baiser

presque fraternel sur la joue lorsqu'il la raccom-
pagnait à l'auberge à la fin de la soirée.

Elle en était même venue à penser qu'il ne
comptait pas vraiment aller au-delà et qu'ils
sortaient ensemble plus pour faire plaisir à sa
tante et pour passer le temps que dans l'espoir de
voir leur relation déboucher sur quelque chose de
vraiment sérieux.

Mais elle commençait à se demander si les
intentions d'Howard étaient vraiment aussi désin-
téressées. Se dégageant de son étreinte, elle le
repoussa durement, provoquant quelques rires
parmi les spectateurs de la rangée qui se trouvait
juste derrière eux.

— Howard ! murmura-t-elle d'un ton réprobateur. Qu'est-ce qui t'arrive ?

Au lieu de lui répondre ou de se carrer dans son
fauteuil pour regarder le film, il se leva brusquement et lui prit le bras. Stupéfaite, elle se leva et
le suivit jusqu'à l'allée qui conduisait à la sortie.

— Puis-je savoir ce qui te prend ? lui demanda-
t-elle.

— Pas ici, répondit-il. Il y a trop de monde.

A grands pas, il regagna le foyer du cinéma et
elle n'eut d'autre choix que de le suivre.

— Howard, tu n'as pas l'air dans ton assiette,
lui dit-elle tandis qu'ils se dirigeaient vers le
parking. Tu ferais peut-être mieux de rentrer chez

toi. Je trouverai bien quelqu'un pour me ramener à l'auberge.

— Pas question ! répondit-il d'un ton véhément.

Il lui ouvrit la portière et elle s'installa sur son siège tandis qu'il contournait la voiture pour venir s'asseoir au volant. Il paraissait très fébrile et B.J. se sentit gagnée par cette inexplicable nervosité.

— Où allons-nous ? demanda-t-elle comme il démarrait.

Il ne répondit pas mais, lorsqu'ils quittèrent le centre-ville, il prit la direction de l'auberge. B.J. se demanda si, vexé par sa rebuffade, il n'avait pas tout simplement décidé de mettre un terme à cette soirée et de la raccompagner chez elle. Cette idée rassura quelque peu la jeune femme que l'attitude d'Howard commençait réellement à inquiéter.

Mais, comme elle finissait par se détendre un peu, il bifurqua sur la droite et s'engagea sur une petite route qui s'enfonçait dans les bois. Au bout de quelques mètres, il se rangea sur le côté et coupa le moteur. Comprenant ce qu'il avait en tête, B.J. se tourna vers lui, furieuse.

Mais, avant qu'elle n'ait eu le temps de lui dire ce qu'elle pensait de son attitude, il la prit par les épaules et l'embrassa à pleine bouche. Ses mains s'égarèrent presque aussitôt sur son chemisier. Elle le repoussa si violemment que sa tête percuta la vitre.

— Howard Beall ! Tu devrais avoir honte de toi ! Je crois que tu ferais mieux de rentrer et de prendre une douche glacée !

— B.J., tu ne peux pas me faire cela, protesta-t-il faiblement.

Révoltée par ce mélange d'agressivité et de faiblesse, la jeune femme lui lança un regard méprisant.

— Je ne plaisante pas, Howard. Rentre chez toi !

Le ton sur lequel elle venait de s'exprimer acheva de refroidir ses ardeurs et il lui lança un regard de chien battu.

— Tu veux que je te raccompagne ? demanda-t-il d'un ton piteux.

— Je préfère ne pas prendre ce risque, répliqua-t-elle. Estime-toi heureux que je ne parle pas à ta tante de ce qui s'est passé ce soir.

— Est-ce que je te reverrai ?

— Je ne crois pas, Howard, répondit-elle.

Sur ce, elle descendit de voiture et s'éloigna à grands pas en direction de l'hôtel.

Une demi-heure plus tard, elle parvint en vue de l'auberge. Cette marche nocturne, loin de la calmer, n'avait fait qu'accentuer la colère glacée que lui avait inspirée l'attitude d'Howard. Elle maudit intérieurement les hommes et décida que, désormais, elle les éviterait prudemment.

Mieux valait courir le risque de finir vieille fille plutôt que de passer son temps à résister aux avances de goujats dénués de toute moralité. Comme elle se faisait cette réflexion, un hibou hulula d'un air réprobateur.

— Toi, je ne t'ai rien demandé ! s'exclama-t-elle avec humeur.

— Mais je n'ai encore rien dit, fit une voix basse et profonde sur sa droite.

B.J. poussa un cri de frayeur et fit mine de s'enfuir. Mais quelqu'un la retint par la taille et elle sentit son angoisse se muer brusquement en panique.

— Du calme, dit Taylor en la relâchant. Je ne pensais pas vous trouver ici. Est-ce que vous avez brusquement décidé de faire une petite promenade ?

— Très drôle ! s'exclama-t-elle rageusement.

Se détournant de lui, elle se dirigea vers l'auberge. Mais elle n'eut le temps de faire que quelques pas avant que Taylor ne l'attrape par le poignet.

— Que se passe-t-il ? demanda-t-il. Votre ami est tombé en panne d'essence ?

— Ecoutez, lança la jeune femme, furieuse, je n'ai vraiment pas envie de supporter vos sarcasmes, pour le moment! Je viens de marcher plusieurs kilomètres après avoir échappé aux assauts d'un véritable obsédé!

— Qu'est-ce qu'il vous a fait? demanda Taylor, recouvrant brusquement son sérieux. Vous n'avez rien, j'espère.

— Bien sûr que non, répondit B.J. avec un soupir d'exaspération. Howard ne ferait pas de mal à une mouche. Je ne comprends vraiment pas ce qui lui a pris! Il ne s'était jamais conduit de cette façon auparavant.

— Je ne sais pas si vous êtes cruelle ou particulièrement naïve, remarqua Taylor. Vous êtes-vous seulement regardée? Ce pauvre type n'avait aucune chance de résister à la tentation.

B.J. le contempla avec stupeur, se demandant comment il pouvait prendre le parti d'Howard dans cette histoire.

— Ne soyez pas ridicule! hurla-t-elle. Howard me connaît depuis toujours. Nous allions même nous baigner tout nus dans le lac lorsque nous avions dix ans! Et il n'avait jamais eu le moindre geste déplacé avant ce soir. Il a simplement dû regarder trop de films romantiques, ces derniers temps.

— B.J., soupira Taylor. Etes-vous consciente du fait que vous n'avez plus dix ans?

La jeune femme perçut dans sa voix une pointe

de désir qui la fit frissonner. Pendant quelques secondes, ils restèrent immobiles, se faisant face à la lueur de la lune. Le temps paraissait comme suspendu. Puis le cri d'un oiseau de nuit se fit entendre et Taylor parut émerger de cette transe.

D'un pas, il se rapprocha d'elle et la prit dans ses bras. Elle n'avait ni le courage ni l'envie de lui résister. Levant son visage vers lui, elle lui offrit ses lèvres qu'il embrassa avec fougue.

Elle se pressa contre lui et ferma les yeux, se laissant envahir par un flot de sensations délicieuses qui ne tardèrent pas à la submerger complètement.

En cet instant, elle lui appartenait pleinement. Le passé et l'avenir n'existaient plus. Seuls comptaient le moment présent et l'émotion profonde que lui inspirait cette étreinte.

Elle gémit doucement contre sa bouche et il se fit plus ardent encore. Ses doigts plongèrent dans les longs cheveux de la jeune femme tandis qu'elle sentait s'éveiller son désir contre ses hanches.

Enlacés, ils s'abandonnaient pleinement l'un à l'autre, oubliant l'endroit où ils se trouvaient. Seule existait la certitude troublante de cette envie qu'ils avaient l'un de l'autre et leur baiser prenait la valeur d'une promesse muette de félicités à venir.

Soudain, la porte de l'auberge s'ouvrit, laissant

apparaître Darla, vêtue seulement d'un négligé de soie qui soulignait la pâleur laiteuse de sa peau et la sensualité de sa longue chevelure noire, qui retombait librement sur ses épaules.

— Je te signale que je t'attends, Taylor, déclara-t-elle d'un ton boudeur.

— Pour quoi faire ? demanda ce dernier tandis que B.J. s'écartait de lui.

— Quelle question ! s'exclama Darla en riant.

Jamais B.J. ne s'était sentie aussi profondément humiliée.

Comment Taylor pouvait-il l'embrasser de cette façon alors qu'une autre femme l'attendait dans son lit ? Choquée, elle fit un pas en arrière. Il essaya alors de la prendre par la main mais elle se dégagea vivement.

— Qu'est-ce que vous faites ? demanda-t-il en fronçant les sourcils.

— Je vais me coucher. Apparemment, vous aviez prévu un autre rendez-vous et je m'en voudrais de vous le faire rater.

— Ne soyez pas ridicule ! protesta-t-il en faisant un pas dans sa direction.

B.J. recula de nouveau. Elle se sentait tiraillée entre la honte, la déception, la tristesse et la colère. Et, finalement, ce fut celle-ci qui l'emporta et elle fusilla Taylor du regard.

— Ne me touchez pas ! vociféra-t-elle. J'ai eu mon comptant de harcèlement pour ce soir !

Sur ce, elle tourna brusquement les talons et s'éloigna en courant en direction de l'auberge, s'efforçant d'ignorer le regard ironique de Darla.

Chapitre 9

B.J. décida que le meilleur moyen d'éviter Taylor était de rester enfermée dans sa chambre. Elle y transféra donc tous les dossiers dont elle avait besoin et s'installa à son bureau pour travailler.

Au-dehors, de lourds nuages avaient envahi le ciel et une pluie discontinue crépitait contre les vitres, offrant un parfait contrepoint à l'humeur maussade de la jeune femme.

Durant toute la matinée, elle se concentra sur des tâches administratives rébarbatives qui avaient néanmoins le mérite de détourner son esprit des événements de la veille. Elle commença par mettre à jour la comptabilité de l'hôtel puis passa deux heures au téléphone avec ses différents fournisseurs afin de préparer la saison touristique.

Alors qu'elle s'apprêtait à préparer l'emploi du temps des employés pour les semaines à venir, la porte de sa chambre s'ouvrit et elle vit entrer Taylor. Le simple fait de poser les yeux sur lui suffit à éveiller le mélange de tristesse et d'humiliation qu'elle s'était efforcée de réprimer au cours des heures précédentes.

— On dirait que vous vous cachez, dit-il d'un ton narquois.

Son ironie ne fit qu'accentuer le profond désarroi de la jeune femme et elle s'efforça de rassembler les dernières bribes d'amour-propre qu'elle avait réussi à sauvegarder pour le défier du regard.

— Pas du tout, répondit-elle en se contraignant à sourire. J'ai simplement pensé qu'il serait plus pratique de travailler ici et de vous laisser le bureau.

— Je vois, lâcha-t-il.

Il n'était visiblement pas dupe de cette explication mais se garda de tout commentaire.

— Darla m'a parlé de votre dispute d'hier, reprit-il.

B.J. fronça les sourcils, certaine que, si tel était le cas, la décoratrice avait dû déformer les faits à son avantage.

— Je vous avais demandé de la traiter avec autant de considération que les clients de l'auberge, ajouta-t-il, confirmant ses doutes.

— C'est exactement ce que j'ai fait, répondit-elle en le regardant droit dans les yeux.

— Elle m'a pourtant dit que vous vous étiez montrée discourtoise à son égard, que vous aviez fait des allusions parfaitement déplacées à nos relations, que vous aviez refusé de lui servir un verre et que vous aviez expressément demandé aux membres de votre personnel de ne pas coopérer avec elle.

B.J. serra les dents, sentant monter en elle une rage glacée devant cette manifestation de mauvaise foi.

— Elle a vraiment dit cela ? articula-t-elle froidement en se levant pour faire face à Taylor. Il est fascinant de voir à quel point une même scène peut donner lieu à des interprétations divergentes…

— Si votre version des faits est différente, je ne demande pas mieux que de l'entendre, répondit Taylor.

— Voilà qui est vraiment magnanime de votre part, railla B.J. Mais je ne perdrai pas mon temps à vous raconter comment les choses se sont passées. Ce serait ma parole contre celle de Darla et je ne me fais aucune illusion sur les conclusions que vous en tireriez.

— B.J., protesta-t-il, pourquoi faut-il que vous vous méfiiez sans cesse de moi ?

— Peut-être est-ce simplement parce que vous passez votre temps à m'accuser, répliqua-t-elle vertement.

— Ce n'est pas du tout ce que j'essayais de faire.

— Vraiment ? Pourtant, bizarrement, je me retrouve sans cesse en train de me justifier. Et je ne veux plus avoir à expliquer le moindre de mes actes, la moindre de mes décisions. Je suis lasse de devoir supporter vos constants changements d'humeur. D'un instant à l'autre, je n'ai aucun moyen de savoir si vous allez m'embrasser, me menacer ou m'accabler de reproches. J'en ai plus qu'assez de me sentir naïve et stupide, d'être infantilisée, d'avoir l'impression de ne pas être à la hauteur. Je n'ai pas l'habitude d'être traitée de cette façon et je n'aime pas du tout ça !

Taylor s'était contenté de l'écouter attentivement, ne trahissant rien des sentiments que lui inspirait cette tirade passionnée. Cette apparente indifférence ne fit qu'accentuer la rancœur de la jeune femme.

— Et surtout, reprit-elle, bien décidée à lui dire tout ce qu'elle avait sur le cœur, je ne peux plus supporter votre précieuse Darla. Elle passe son temps à critiquer cette auberge, à rabaisser tous ceux qui y travaillent et qui ne ménagent pas leurs efforts pour en faire un lieu accueillant. Elle se montre méprisante à mon égard et n'hésite pas à inventer des histoires montées de toutes pièces pour détruire le peu de crédibilité que j'ai à vos yeux. Quant à vous, vous vous servez de moi pour flatter votre ego, n'hésitant pas à me faire du charme alors que Darla est en train de réchauffer votre lit…

La jeune femme fut interrompue par la sonnerie du téléphone. Par réflexe, elle décrocha.

— Qu'y a-t-il ? demanda-t-elle d'un ton hargneux.

— Je suis désolé de te déranger, lui dit Eddie, surpris par cette agressivité inattendue.

— Tu ne me déranges pas, lui assura-t-elle en s'efforçant de dominer sa colère. Que se passe-t-il, Eddie ?

— J'ai un certain Paul Bailey en ligne pour M. Taylor et je crois qu'il est avec toi.

B.J. se massa la nuque pour lutter contre le mal de tête qui commençait à la tarauder.

— Oui, il est là, répondit-elle. Je te le passe.

Elle tendit le combiné à Taylor, qui le prit sans la quitter des yeux. Comme elle s'apprêtait à quitter la pièce pour le laisser seul, il la retint par le poignet.

— Restez là, lui ordonna-t-il.

A contrecœur, elle hocha la tête et alla se placer devant la fenêtre pour regarder d'un œil morne la pluie qui tombait au-dehors. Les réponses de Taylor à ce que lui disait Paul Bailey se limitaient à quelques interjections monosyllabiques auxquelles elle ne prêta aucune attention.

Elle se sentait terriblement frustrée de ne pas avoir pu aller jusqu'au bout de son réquisitoire à l'encontre de Taylor et de Darla, son âme damnée. D'un autre côté, elle en avait probablement déjà dit assez pour justifier son renvoi.

Peut-être était-ce d'ailleurs ce qu'elle pouvait

espérer de mieux, songea-t-elle tristement. Car elle ne pourrait supporter indéfiniment la situation dans laquelle elle se trouvait.

Sans parler du fait que l'auberge qu'elle aimait tant ne tarderait pas à se transformer en centre de vacances dénué de toute personnalité…

Lorsque Taylor raccrocha enfin, elle se tourna vers lui, attendant le verdict auquel elle s'était déjà résignée.

— Faites vos valises, lui dit-il, confirmant ses craintes.

Elle hocha la tête et se tourna de nouveau vers la fenêtre, réalisant qu'une page de sa vie venait de se tourner. Qui sait ce que l'avenir lui réservait, à présent ?

— Prenez tout ce dont vous aurez besoin pour trois jours, ajouta Taylor.

Stupéfaite, elle se tourna vers lui.

— Nous partons dans un quart d'heure. Je vais préparer mes affaires.

— Je croyais que vous alliez me renvoyer, avoua-t-elle, désorientée.

— Comment pouvez-vous imaginer une chose pareille ? s'exclama-t-il comme si cette idée même lui paraissait parfaitement absurde. Vous devriez tout de même m'accorder un peu plus de crédit que cela.

Malgré elle, B.J. sentit un profond soulagement l'envahir. Elle réalisa alors combien elle était attachée à cette auberge à laquelle elle avait consacré tant d'années de sa vie. Des yeux, elle suivit Taylor tandis qu'il gagnait la porte de la chambre à grands pas. La main sur la poignée, il s'immobilisa et se tourna vers elle.

— Paul Bailey est le gérant de l'un de mes hôtels, lui expliqua-t-il. Apparemment, il a besoin de moi pour résoudre un problème.

— Puis-je savoir pourquoi je dois venir avec vous ? demanda B.J., étonnée.

— Parce que je pense que nous aurons besoin de vos conseils. Et parce que cela vous permettra de voir comment je dirige mes autres hôtels. Cela devrait vous permettre de vous faire une idée plus précise de la façon dont je prends mes décisions.

— Mais je ne peux pas quitter l'auberge aussi rapidement, protesta la jeune femme. Qui s'en occupera pendant que je serai avec vous ?

— Eddie, bien sûr. Ce sera une excellente opportunité pour lui de se familiariser avec les responsabilités qui seront peut-être un jour les siennes. Je pense que, jusqu'à présent, vous l'avez un peu trop protégé.

— Mais nous avons cinq nouvelles réservations pour le week-end, protesta B.J.

— Justement ! Cela lui donnera l'occasion

de vous prouver ce dont il est capable. Je vous retrouve en bas dans dix minutes.

— Qui vous dit que moi, j'ai envie de vous accompagner ? demanda-t-elle en le défiant du regard.

— Ce n'est pas une question d'envie mais de conscience professionnelle. Et il ne serait pas très cohérent de votre part de refuser après m'avoir si souvent reproché d'agir en tyran. Je compte justement vous offrir une occasion de découvrir comment je travaille et comment je prends mes décisions.

Vaincue par ces arguments, B.J. soupira.

— Vous pourriez au moins me dire où nous allons pour que je puisse choisir des vêtements en conséquence, remarqua-t-elle.

— Nous partons pour Palm Beach, en Floride. N'oubliez pas votre maillot de bain.

Sur ce, il sortit, la laissant seule. Pendant quelques instants, elle resta immobile, tentant de remettre de l'ordre dans ses pensées.

Alors qu'elle avait enfin trouvé la force de lui dire ce qu'elle pensait de ses méthodes et de Darla et qu'elle s'était préparée psychologiquement à en assumer les conséquences, voilà que Taylor décidait brusquement de lui demander des conseils au sujet d'un autre hôtel !

L'idée de voyager en sa compagnie la mettait

d'autant plus mal à l'aise qu'il n'avait répondu à aucune de ses critiques et qu'elle ignorait toujours quelles étaient ses intentions à son égard.

Une chose au moins était certaine : elle était bien décidée à redoubler de prudence.

Taylor ne laissa à B.J. que quelques minutes pour transmettre ses instructions à Eddie. Ils partirent ensuite directement pour l'aéroport. Pendant le trajet, la jeune femme garda le silence, faisant mentalement la liste de tout ce qui risquait de mal tourner en son absence. Contrairement à Taylor, elle n'était pas certaine qu'Eddie soit capable de faire face aux multiples responsabilités qui seraient les siennes.

Moins d'une heure plus tard, ils quittèrent la voiture de Taylor pour prendre son jet privé qui les attendait en bout de piste, prêt à décoller. Le pilote vint prendre leurs bagages et les emporta à bord tandis que B.J. hésitait au pied de la passerelle.

— Que se passe-t-il ? demanda Taylor, sentant le trouble qui l'habitait.

— A vrai dire, je n'aime pas trop prendre l'avion, lui avoua-t-elle.

— Ne vous en faites pas, la rassura-t-il, il doit y avoir à bord des médicaments contre le mal de l'air.

— Ce n'est pas cela, protesta-t-elle, gênée. En

fait, l'idée de me trouver dans les airs me terrifie. Je suis un véritable cauchemar pour les hôtesses de l'air et les autres passagers.

— Mais de quoi avez-vous peur ? s'étonna Taylor.

— Que l'avion s'écrase, bien sûr !

— C'est absurde, lui assura-t-il. L'avion est le moyen de transport le plus sûr du monde. Vous courez beaucoup plus de risques chaque fois que vous montez dans une voiture.

— Mais les voitures ne volent pas à six mille mètres d'altitude, objecta-t-elle.

Taylor ne put s'empêcher de sourire.

— Moi qui croyais que vous n'aviez peur de rien, lui dit-il, je suis un peu déçu.

— Nous avons tous nos phobies, répondit-elle, vexée.

— Sans doute, concéda-t-il en la poussant gentiment vers la porte de l'appareil.

Ils pénétrèrent dans une vaste cabine qui ressemblait plus à un luxueux appartement qu'à l'intérieur d'un avion. Les fauteuils traditionnels étaient remplacés par de beaux canapés en cuir vissés au sol et placés autour d'une petite table basse.

Au fond de la pièce se dressait un bar. On trouvait aussi un poste de télévision à écran plat équipé d'un lecteur de DVD et une chaîne hi-fi dernier cri.

— Je suis impressionnée, avoua B.J. en découvrant les lieux. Mais je pense que vous me détesterez quand je commencerai à me rouler par terre en gémissant.

— Pas forcément, répondit Taylor d'une voix pleine de sous-entendus.

La jeune femme ne put s'empêcher de rougir.

— B.J., murmura-t-il, j'aimerais que nous oubliions nos différends, au moins le temps de ce voyage.

— Je ne sais pas si c'est vraiment possible, soupira-t-elle en détournant les yeux.

— Nous pourrions au moins déclarer une trêve, insista-t-il.

Comme elle ne répondait pas, il souleva délicatement son menton et la regarda droit dans les yeux. Le sourire qu'il arborait la désarma complètement et elle comprit combien il était futile d'espérer lui résister.

— Qu'en dites-vous ? lui demanda-t-il.

— D'accord, acquiesça-t-elle. Je veux bien essayer.

Taylor hocha la tête et caressa doucement ses lèvres du pouce, la faisant frissonner malgré elle.

— Asseyez-vous et bouclez votre ceinture, lui conseilla-t-il. Nous n'allons pas tarder à décoller.

B.J. s'exécuta et soupira d'un air résigné. Mais Taylor entreprit alors de lui parler de l'hôtel qu'ils allaient visiter et elle l'écouta avec intérêt. Malgré les études qu'elle avait faites, elle n'avait jamais encore eu l'opportunité de visiter un autre hôtel que celui qu'elle dirigeait.

Elle ne manqua pas de poser de multiples questions à Taylor sur la façon dont il était géré. Il lui répondit avec force détails, le comparant avec d'autres établissements dont il était propriétaire.

Elle ne tarda pas à réaliser que son patrimoine comportait des établissements de tous types et de toutes tailles et que chacun d'eux obéissait à des impératifs très différents. Aux yeux de Taylor, la gestion de cet impressionnant patrimoine s'apparentait à un jeu.

Il achetait des hôtels, les transformait de façon à améliorer leur rentabilité et veillait à ce qu'ils s'adaptent aux aléas de la conjoncture. Cette conception de leur métier était radicalement opposée à celle de B.J. qui devait le plus souvent se concentrer sur des détails plus quotidiens.

Elle finit par comprendre que c'était cette divergence de points de vue qui les opposait chaque fois qu'ils parlaient de l'avenir de Lakeside Inn.

Lorsque Taylor pensait en termes de stratégie de groupe, de développement de nouveaux marchés et de complémentarité de ses offres, elle se souciait avant tout du bien-être de ses employés et de ses clients.

Comme ils débattaient avec véhémence de la question, Taylor s'interrompit au beau milieu d'une phrase et lui décocha un sourire malicieux.

— Ça y est ! s'exclama-t-il.

— Qu'y a-t-il ? demanda la jeune femme en fronçant les sourcils.

— Nous avons décollé et vous ne vous êtes aperçue de rien. On dirait bien que vous n'avez plus peur des avions.

B.J. le contempla avec stupeur avant de jeter un coup d'œil par l'un des hublots. Les nuages cotonneux qu'ils venaient de traverser lui confirmèrent ce que Taylor venait de lui dire.

— Ça alors, murmura-t-elle, interdite. Je n'aurais jamais pensé que cela arriverait un jour…

— Je crois que nous devrions fêter votre victoire sur cette phobie, déclara Taylor. Et le fait que nous ayons conclu cette trêve, bien sûr !

Quittant son siège, il alla chercher une bouteille de champagne dans le petit réfrigérateur du bar et remplit deux flûtes. Il en tendit une à sa compagne et tous deux trinquèrent.

— Je crois que je vous dois de sincères remerciements, déclara B.J. en souriant. Sans vous, il m'aurait peut-être fallu des années de psychanalyse pour parvenir au même résultat…

— Je pourrais peut-être déduire le prix des

séances de votre salaire, dans ce cas, suggéra malicieusement Taylor.

B.J. éclata de rire et ils continuèrent ainsi à deviser joyeusement.

La jeune femme ne tarda pas à sentir refluer la méfiance qu'elle avait initialement éprouvée lorsque Taylor lui avait proposé de faire la paix.

Il ne chercha pas une seule fois à la toucher ou à l'embrasser. En fait, il se montra le plus charmant et le plus attentionné des compagnons de voyage et parvint même à lui faire oublier définitivement la terreur irraisonnée que lui avaient jusqu'alors inspirée les trajets en avion.

Lorsqu'ils descendirent de l'avion, un agent de la compagnie de location de voitures les attendait devant l'aéroport de Palm Beach. Taylor lui prit les clés du véhicule qu'il avait réservé et signa les papiers que l'homme lui présenta.

Ils prirent alors place dans une Porsche noire et Taylor démarra.

— Où se trouve votre hôtel ? demanda B.J., curieuse.

— A Palm Beach même. Nous sommes actuellement à West Palm Beach et il nous faut traverser le lac Worth pour atteindre l'île proprement dite.

B.J. hocha la tête et s'abîma dans la contemplation du paysage. Le panorama qui s'offrait à ses yeux tranchait nettement avec les paysages auxquels elle était habituée en Nouvelle-Angleterre.

La végétation luxuriante était principalement constituée de plantes méditerranéennes parmi lesquelles poussaient quelques palmiers typiques de la région. Le lac Worth, qui les séparait de Palm Beach, scintillait à la lumière du soleil radieux qui brillait dans un ciel d'azur.

Quelques minutes plus tard, ils se garèrent devant un bel immeuble blanc qui dominait de ses douze étages les eaux de l'Atlantique. Les initiales de Taylor étaient inscrites au sommet du bâtiment.

Ils descendirent de voiture et remontèrent une allée bordée de palmiers qui traversait une pelouse d'un vert émeraude. Ils se dirigèrent alors vers l'entrée majestueuse qui formait une arche imposante. Taylor ouvrit la porte pour laisser entrer la jeune femme et elle pénétra dans le hall de l'hôtel.

Là, elle ne put s'empêcher de se sentir impressionnée par la vision qui s'offrait à elle.

Le hall de réception était installé dans une immense véranda qui formait une avancée sur le corps principal du bâtiment. Elle prenait l'apparence d'une serre luxuriante où poussaient des centaines de plantes tropicales.

Au centre du sol de pierres multicolores se trouvait une sorte de petit jardin zen entourant une fontaine qui gargouillait joyeusement. Il se dégageait des lieux une impression d'espace et d'exotisme qui tranchait avec l'atmosphère délicieusement compassée de Lakeside Inn.

Les réflexions de B.J. furent interrompues par l'arrivée d'un homme grand et mince au visage bronzé qui était vêtu d'un élégant costume gris clair.

— Bonjour, monsieur Reynolds, dit-il d'un ton empreint d'une certaine déférence. Je suis ravi de vous voir.

— Bonjour, Paul, répondit Taylor en lui serrant cordialement la main. B.J., je vous présente Paul Bailey. Bailey, voici B.J. Clark.

— Je suis ravi de faire votre connaissance, mademoiselle Clark, déclara Bailey en lui jetant un regard admiratif.

Elle lui rendit le sourire chaleureux qu'il lui adressait.

— Nos bagages sont dans le coffre de la Porsche noire, sur le parking, indiqua Taylor. Mlle Clark et moi allons nous rafraîchir. Nous vous rejoindrons un peu plus tard.

— Bien sûr, répondit Bailey en lui tendant une carte magnétique sur laquelle était inscrit un numéro de chambre. J'envoie immédiatement quelqu'un chercher vos valises. Avez-vous besoin de quoi que ce soit ?

— Pas pour le moment, merci. B.J. ?

— Pardon ? dit celle-ci qui était toujours plongée dans la contemplation du hall.

— Est-ce que vous avez besoin de quelque chose ? lui demanda Taylor en écartant une mèche de cheveux qui lui tombait dans les yeux.

— Non, merci.

Taylor l'entraîna alors vers les ascenseurs qui se trouvaient au fond de la pièce. Ils entrèrent dans l'une des cabines de verre qui s'éleva rapidement vers le dernier étage. Là, ils suivirent un couloir recouvert d'une épaisse moquette couleur ivoire.

Ils ne tardèrent pas à atteindre une suite magnifique et pénétrèrent dans un immense salon qui ouvrait sur l'extérieur par une large baie vitrée d'où on apercevait l'océan qui s'étendait en contrebas. Quelques mouettes tournoyaient dans le ciel avant de plonger vers les flots pour capturer leur pitance.

— C'est incroyable ! s'exclama-t-elle avec enthousiasme en se tournant vers Taylor.

Ce dernier l'observait avec attention mais elle ne put déchiffrer l'expression qui se lisait sur son visage.

— La vue est splendide, ajouta-t-elle, légèrement embarrassée par son silence.

Observant le mobilier du salon qui alliait élégance et modernité, elle se demanda s'il avait été choisi par Darla Trainor. Si tel était le cas, force était de reconnaître que la décoratrice avait fait preuve d'un goût très sûr.

— Puis-je vous offrir quelque chose à boire ? proposa Taylor en se dirigeant vers le bar.

Il pressa un bouton qui ouvrait un petit réfrigérateur astucieusement dissimulé dans le mur et dans lequel était disposée une rangée de petites bouteilles.

— Avec plaisir, répondit la jeune femme. Je prendrais bien un « Cuba libre ».

Comme Taylor commençait à préparer son cocktail, on frappa à la porte.

— Entrez, lança-t-il.

Un garçon d'étage pénétra dans la suite avec leurs valises qu'il déposa dans le salon.

— Vos bagages, monsieur Reynolds, dit-il respectueusement.

Il décocha un regard teinté de curiosité à B.J.

Celle-ci ne put s'empêcher de rougir en songeant qu'il voyait probablement en elle la nouvelle maîtresse de Taylor.

— Voulez-vous que je les installe dans la chambre ? proposa-t-il.

— Ce ne sera pas la peine, répondit Taylor en s'approchant pour lui glisser un pourboire.

Le garçon le remercia et quitta la pièce, les laissant de nouveau seuls.

— Pourquoi les a-t-il tous apportés ici ?

demanda-t-elle en fronçant les sourcils. N'était-il pas censé mettre ma valise dans ma chambre ?

— C'est ce qu'il a fait, répondit Taylor.

— Oh, je pensais que ce serait vous qui prendriez la suite.

— C'est bien le cas, acquiesça-t-il en lui tendant son verre.

B.J. comprit brusquement ce que cela signifiait et rougit de plus belle.

— Vous ne vous imaginez tout de même pas…

Elle s'interrompit, partagée entre colère et embarras.

— Je ne m'imagine pas quoi ? demanda Taylor en se servant un whisky.

— Vous m'avez dit que vous vouliez me montrer le fonctionnement de l'un de vos hôtels, pas que vous comptiez…

— Vous devriez vraiment apprendre à finir vos phrases, remarqua Taylor avec un sourire malicieux.

— Il est hors de question que je passe la nuit avec vous ! s'exclama-t-elle en le défiant du regard.

— Je ne crois pas vous l'avoir proposé, répondit-il avant d'avaler une gorgée de whisky. Cette suite est composée de deux chambres indépendantes. Je suis certain que vous trouverez la vôtre tout à fait à votre goût.

— Il n'est pas question que je dorme dans

cette suite ! déclara-t-elle, furieuse. Tout le monde penserait que je suis… que nous sommes…

Taylor éclata de rire.

— Si c'est vraiment ce qui vous inquiète, il est déjà trop tard. Le simple fait que vous voyagiez en ma compagnie conduira les gens à penser que nous sommes amants. Si vous demandez une autre chambre, ils imagineront simplement que nous nous sommes disputés, ce qui ne fera que décupler leur curiosité. De toute façon, cela n'a pas grande importance. Ce qui compte, c'est ce que nous faisons ou ne faisons pas, n'est-ce pas ? Et cela ne regarde que nous. Bien sûr, je serais tout à fait ravi de donner un fondement à cette rumeur que vous paraissez tant redouter.

— Vous êtes vraiment le personnage le plus arrogant, le plus égoïste et le plus répugnant qu'il m'ait jamais été donné de rencontrer !

— Dois-je déduire de cette tirade que vous n'entendez pas partager mon lit ? demanda Taylor, sardonique.

— Tout à fait. Et comme nous sommes hors saison, j'imagine qu'il y a d'autres chambres disponibles. J'aimerais en avoir une.

— Auriez-vous peur de succomber à la tentation ? demanda Taylor en souriant.

— Bien sûr que non ! protesta-t-elle vivement.

— Dans ce cas, la question est réglée, conclut-il.

Vous dormirez dans l'autre chambre de la suite. Et si vous craignez vraiment que je cède à une pulsion luxurieuse, soyez rassurée. Votre porte est équipée d'un loquet très solide. Maintenant, je dois aller discuter avec Bailey. N'hésitez pas à profiter des multiples activités que propose l'hôtel.

Avant que la jeune femme eût le temps de protester, il quitta la pièce à grands pas.

Après son départ, B.J. décida de faire contre mauvaise fortune bon cœur. Après tout, ce n'était pas tous les jours qu'elle avait l'occasion de séjourner dans la plus belle suite d'un hôtel de luxe. Et elle était bien assez grande pour qu'ils puissent cohabiter sans empiéter sur leurs intimités respectives.

La jeune femme alla donc prendre une douche rapide dans l'une des deux salles de bains et enfila un short et un T-shirt plus adaptés au climat de Palm Beach que les vêtements qu'elle portait.

Elle décida ensuite de visiter l'hôtel avant d'aller faire un tour sur la jolie plage de sable blanc qu'elle avait aperçue en contrebas.

Quittant la suite, elle regagna le rez-de-chaussée qu'elle commença à explorer avec curiosité. Elle ne tarda pas à découvrir que Taylor avait tiré le meilleur parti du bâtiment et de son environnement. L'immeuble était percé en de nombreux endroits de baies vitrées qui laissaient pénétrer la lumière du jour.

Les matériaux utilisés donnaient une impression de propreté et de modernité sans conférer aux lieux la froideur qui caractérisait trop souvent les grands hôtels de ce genre. La plupart imitaient la pierre ou le bois, ce qui s'harmonisait à la perfection avec les plantes habilement disposées dans les différentes pièces.

Les commodités offertes aux clients étaient multiples : on trouvait entre autres une salle de gym, un sauna, une piscine alimentée par de l'eau de mer filtrée et un solarium. Lorsque B.J. quitta le bâtiment, elle aperçut plusieurs courts de tennis et une autre piscine.

La plage qui s'étendait au pied de l'hôtel était exclusivement réservée aux personnes qui y séjournaient. Il y avait un terrain de beach volley, un bar et un centre d'activités pour les enfants. De là, l'élégante silhouette de l'immeuble qui se découpait contre le ciel paraissait plus imposante encore.

Cet endroit semblait appartenir à un tout autre univers que l'auberge de Lakeside et B.J. avait presque du mal à imaginer les raisons qui avaient pu conduire Taylor à acquérir deux hôtels si différents.

Et ces deux établissements ne constituaient qu'une infime partie de son empire. Elle essaya de se représenter l'étendue de celui-ci et se sentit légèrement déprimée. Ils appartenaient à des univers différents.

Et si elle cédait à ses avances, que pouvait-elle dès lors espérer de leur relation ? Quel avenir pouvait-elle envisager aux côtés d'un homme si riche et si puissant ?

— Bonjour ! fit alors une voix amicale qui la tira de ses sombres réflexions.

Se tournant vers l'homme qui venait de l'aborder, elle découvrit un visage avenant et bronzé qu'illuminait un charmant sourire.

— Vous n'allez pas vous baigner ? lui demanda-t-il.

— Pas aujourd'hui, répondit-elle en souriant.

— Voilà qui est inhabituel, remarqua son interlocuteur en lui emboîtant le pas tandis qu'elle se dirigeait vers le rivage. La plupart des nouveaux arrivants passent la majeure partie de leur première journée dans l'eau.

— Comment savez-vous que je viens d'arriver ? demanda B.J., étonnée.

— Parce que je ne vous avais encore jamais vue auparavant et que la présence d'une aussi jolie femme ne m'aurait pas échappé. De plus, vous n'êtes pas encore bronzée.

— Cela ne risque pas d'arriver, là où j'habite, reconnut-elle. Vous, par contre, vous devez être ici depuis un certain temps.

De fait, l'homme venait de retirer le T-shirt qu'il portait, révélant la couleur dorée de son torse bien bâti.

— Cela fait deux ans, répondit-il.

B.J. lui jeta un regard stupéfait et il éclata de rire.

— En fait, je travaille ici, expliqua-t-il. Chad Hardy, ajouta-t-il. Je suis professeur de tennis.

— B.J. Clark, se présenta la jeune femme en serrant la main qu'il lui tendait. Comment se fait-il que vous soyez à la plage plutôt que sur les courts ?

— C'est mon jour de congé. Mais si vous voulez que je vous donne une leçon particulière, je serais enchanté de le faire.

— C'est très gentil à vous mais je n'ai pas le temps, lui répondit-elle.

— Puis-je au moins vous inviter à dîner ?

— Non, merci.

— A boire un verre, alors ?

Elle sourit, amusée par son insistance. Rien ne paraissait susceptible de doucher son enthousiasme.

— Désolée, mais il est un peu tôt, répondit-elle.

— Je peux attendre, vous savez ?

Cette fois, elle ne put s'empêcher d'éclater de rire.

— Non, merci. Au revoir, monsieur Hardy.

— Vous pouvez m'appeler Chad, lui dit-il en la suivant en direction de l'hôtel. Et que diriez-vous d'un petit déjeuner, d'un déjeuner ou d'un week-end à Las Vegas ?

B.J. rit de plus belle, charmée par ses manières franches et directes.

— Vous avez de la suite dans les idées, lui dit-elle. Et j'avoue que je suis un peu étonnée. Je suis certaine que nombre de jeunes femmes seraient ravies d'accepter vos invitations…

— Malheureusement, celle qui m'intéresse ne cesse de les décliner, répondit-il galamment. Vous pourriez tout de même faire preuve d'un peu plus de compassion à mon égard.

— Très bien, céda enfin B.J. Si vous m'offrez un jus d'orange, je ne refuserai pas.

— Que diriez-vous d'un jus d'orange, dans ce cas ? demanda-t-il en riant.

— Volontiers, répondit-elle, se prenant au jeu.

Ils gagnèrent le bar qui était installé près de la piscine en plein air et commandèrent deux verres de jus de fruits. La jeune femme parcourut des yeux le parc qui s'étendait autour d'eux.

— Vous avez la belle vie, ici, remarqua-t-elle. Il doit être vraiment très agréable de travailler dans un cadre pareil !

— Je n'ai pas à me plaindre, concéda-t-il. Le climat est idéal et j'adore mon travail. Sans compter le fait qu'il me donne parfois l'occasion de rencontrer des gens fascinants, ajouta-t-il en portant un toast muet.

Il lui prit la main et lui décocha un sourire enjôleur.

— Combien de temps comptez-vous rester ? demanda-t-il.

— Quelques jours, répondit-elle sans chercher à retirer ses doigts. Je ne sais pas combien, exactement. A vrai dire, je suis venue ici sur un coup de tête.

— Dans ce cas, je bois à cette bienheureuse décision, déclara Chad avant de porter son verre à ses lèvres.

— Est-ce que vous vous montrez aussi charmant avec toutes les jolies filles qui séjournent ici ?

— Vous n'avez encore rien vu, lui promit-il avec un clin d'œil complice.

— B.J. ! s'exclama quelqu'un derrière eux.

La jeune femme se retourna et aperçut Taylor, qui se dirigeait vers eux. En avisant son regard, elle comprit qu'il devait être de fort mauvaise humeur.

— Est-ce que votre entrevue avec M. Bailey est terminée ? demanda-t-elle.

— Depuis un moment déjà.

Il jeta un coup d'œil à Chad puis à leurs mains toujours jointes.

— Je vous cherchais, reprit-il.

— Je buvais un verre, expliqua-t-elle. Taylor, je vous présente Chad Hardy.

— Nous nous connaissons. Bonjour, Hardy.

— Bonjour, monsieur Reynolds. Je ne savais pas que vous séjourniez à l'hôtel.

— Juste pendant un jour ou deux. Quand vous aurez fini, ajouta-t-il un peu sèchement à l'intention de B.J., je vous conseille de monter vous changer. Nous devons dîner avec Paul et votre tenue n'est pas vraiment adaptée.

Sur ce, il leur adressa un petit signe de tête un peu sec et tourna les talons.

Immédiatement, Chad lâcha la main de B.J. et s'adossa à sa chaise pour l'étudier avec un intérêt renouvelé.

— Vous auriez tout de même pu me dire que vous étiez la petite amie du patron, remarqua-t-il. Je ne tiens pas vraiment à perdre mon poste, vous savez !

— Je ne suis pas sa petite amie, protesta-t-elle vivement.

Chad lui décocha un regard qui trahissait un mélange de regret et d'amusement.

— Vous feriez peut-être mieux de l'en informer, suggéra-t-il. Parce qu'il n'a pas l'air de voir les choses de la même façon que vous. C'est bien regrettable, d'ailleurs, parce que j'aurais été ravi de pouvoir faire plus ample connaissance. Mais je préfère me tenir à prudente distance des terrains minés.

Il se leva et lui sourit.

— En tout cas, conclut-il, si vous revenez un jour ici sans Taylor, n'hésitez pas à me faire signe.

Sur ce, il s'éloigna à grands pas en direction de l'hôtel.

Chapitre 10

B.J. pénétra en trombe dans la suite et claqua violemment la porte derrière elle avant de se diriger à grands pas vers la chambre de Taylor.

— Vous me cherchez ? fit la voix de ce dernier, juste derrière elle.

Se retournant, elle constata avec un mélange de stupeur et de gêne qu'il se trouvait sur le seuil de la salle de bains, vêtu en tout et pour tout d'une serviette qui enserrait sa taille. Malgré la colère qui l'habitait, elle ne put s'empêcher d'admirer son torse musclé qui se découpait à contre-jour.

— Je…, balbutia-t-elle, hésitante. Oui, je vous cherchais, reprit-elle en se rappelant les commentaires de Chad. La scène que vous m'avez faite près de la piscine était totalement injustifiée. Vous avez sciemment fait croire à Chad que j'étais votre maîtresse !

Oubliant sa demi-nudité, elle vint se planter devant lui et le défia du regard.

— Vous l'avez fait exprès et je ne le tolérerai pas ! s'écria-t-elle rageusement.

Une lueur dangereuse s'alluma dans le regard de Taylor mais, cette fois, elle était bien décidée à ne pas se laisser intimider.

— Vraiment ? dit-il d'une voix railleuse. Je pensais pourtant vous rendre service. En voyant la facilité avec laquelle Hardy a réussi à vous convaincre de vous joindre à lui, j'ai pensé que vous aviez besoin d'un peu d'aide pour vous débarrasser de ce séducteur notoire.

— Nous étions juste en train de boire un verre ! s'exclama-t-elle, furieuse. Ce n'est pas comme s'il avait essayé de m'agresser !

— Je pense que vous êtes trop naïve pour votre propre bien, répondit posément Taylor.

— Qu'est-ce que cela peut bien vous faire ? Je n'ai nul besoin d'être protégée. Si vous tenez vraiment à jouer les chevaliers servants, trouvez quelqu'un d'autre ! Je ne supporterai plus ce genre d'attitude.

— Et comment comptez-vous m'empêcher d'intervenir ? demanda Taylor, narquois.

L'arrogance de sa question transforma la colère de la jeune femme en véritable fureur.

— Franchement, reprit-il, s'il me faut vous faire passer pour ma petite amie pour empêcher Hardy et les beaux parleurs dans son genre de profiter de vous, je n'hésiterai pas à recommencer. Et vous devriez m'en être reconnaissante.

— Reconnaissante ? répéta B.J. De passer pour votre propriété privée ? Pour une imbécile ? Jamais je n'ai entendu quelque chose d'aussi ridicule !

Elle leva la main pour le gifler, mais il réagit à une vitesse stupéfiante. Attrapant son poignet, il le rabattit derrière son dos, l'attirant du même coup contre lui.

— A votre place, je renoncerais à ce genre d'attitude. Je ne suis pas certain que vous appréciiez les conséquences de votre geste.

B.J. fit mine de reculer mais il plaça sa main libre sur sa hanche pour l'en empêcher.

— Arrêtez de vous débattre, lui conseilla-t-il. Je n'ai aucune envie de vous faire du mal. Je vous rappelle que nous avions conclu une trêve et que c'est vous qui venez de la rompre.

Il avait parlé d'un ton léger, mais la menace qui perçait dans sa voix était bel et bien réelle.

— C'est vous qui avez commencé, répliqua-t-elle, sur la défensive.

— Vraiment ? dit-il en souriant devant ce reproche enfantin.

Se penchant vers elle, il l'embrassa avec passion. Malgré elle, elle fut instantanément submergée par le désir qu'il lui inspirait. Chaque fois que ses lèvres se posaient sur les siennes, elle avait l'impression que plus rien d'autre n'existait que ce besoin impérieux qu'elle avait de lui.

Ses mains, échappant à son propre contrôle, glissèrent le long du dos nu de Taylor et remontèrent jusqu'à son cou qu'elle entoura de ses doigts. Mais, brusquement, il se dégagea et la repoussa fermement.

B.J. recula, manquant tomber à la renverse.

— Vous devriez aller vous changer, lui dit-il d'un ton sec.

Se détournant, il fit mine de rentrer dans la salle de bains. La jeune femme le retint par le bras.

— Taylor...

— Allez vous changer, s'exclama-t-il encore plus durement.

Instinctivement, elle recula, choquée par la violence qu'elle percevait en lui. Tous deux restèrent figés durant quelques instants puis Taylor réintégra la salle de bains et claqua la porte derrière lui.

B.J. gagna sa chambre, cherchant à déterminer la nature des sentiments que lui inspirait cette nouvelle confrontation. Mais ils étaient bien trop contradictoires pour qu'elle sache ce qui l'emportait entre son amour-propre bafoué, sa colère et sa déception.

Le soleil se levait lentement, effaçant les étoiles qui se devinaient encore dans le ciel et illuminant de ses rayons les eaux bleues de l'Atlantique. B.J.

quitta son lit, soulagée de voir le jour succéder enfin à cette nuit interminable.

La veille, ils avaient dîné avec Paul Bailey, discuté de la façon dont ce dernier gérait l'hôtel et comparé son expérience à celle de la jeune femme. Le repas avait été très agréable, Taylor et B.J. faisant des efforts pour dissimuler la tension qui subsistait entre eux.

Mais, lorsque Bailey avait pris congé après le café, un silence pesant s'était installé. Lorsque Taylor avait enfin daigné s'adresser à elle, il s'était montré d'un formalisme glacé. D'une certaine façon, cela avait été presque pire que lorsqu'il s'était mis en colère.

Terriblement mal à l'aise, elle avait opté pour une politesse un peu forcée. Dix minutes plus tard, elle avait plaidé la fatigue et était remontée dans sa chambre. Taylor ne l'avait même pas raccompagnée, préférant rester au bar.

Une fois seule, elle avait été incapable de trouver le sommeil. Finalement, plusieurs heures plus tard, elle avait entendu Taylor rentrer. Il avait traversé la suite et s'était arrêté un instant devant sa porte. Elle avait alors retenu son souffle, se demandant s'il se déciderait à la rejoindre.

Mais, finalement, il s'était éloigné et avait gagné sa propre chambre.

A ce moment précis, la jeune femme avait

réalisé que, malgré toutes leurs disputes et toutes les humiliations qu'il lui avait fait subir, elle l'aimait toujours. Et qu'elle ne pouvait continuer plus longtemps à se voiler la face.

Malheureusement, il était évident qu'il ne partageait pas ses sentiments. Cette idée avait profondément déprimé B.J. et elle avait dû faire appel à toute la force de sa volonté pour retenir ses larmes, de peur que Taylor ne l'entende sangloter à travers la paroi qui séparait leurs chambres.

Après s'être retournée longuement dans son lit, elle avait fini par s'endormir, brisée par cet excès d'émotions. Mais, en se réveillant, elle se sentait presque plus accablée encore.

Décidant de chasser ses idées noires, elle enfila son maillot de bain et passa une robe légère avant de quitter sa chambre. Dans le salon, elle s'arrêta quelques instants devant la baie vitrée et contempla la vue qui s'offrait à elle.

Le soleil naissant baignait de ses rayons mordorés les eaux de l'Atlantique, éveillant à leur surface des scintillements argentés et mouvants. Les nuages se teintaient de mauve et de rose, formant une véritable fantasmagorie.

— Quelle vue ! fit la voix de Taylor juste derrière elle.

B.J. sursauta et se tourna vers lui, réalisant que

le bruit de ses pas avait été amorti par l'épaisse moquette qui recouvrait le sol de la pièce.

— Oui, murmura-t-elle comme ils tendaient tous deux la main pour écarter la mèche de cheveux qui lui tombait sur l'œil.

Leurs doigts s'effleurèrent brièvement et elle frémit.

— Il n'y a rien de plus beau qu'un lever de soleil, reprit-elle, embarrassée par l'apparition de cet homme qui occupait chacune de ses pensées depuis la veille.

Il ne portait qu'un short et elle avait du mal à ne pas laisser son regard glisser sur son torse dénudé.

— Vous avez bien dormi ? lui demanda-t-il alors.

Elle haussa les épaules d'un air évasif, se refusant à lui mentir.

— J'avais envie de descendre me baigner avant que la plage ne soit prise d'assaut, lui dit-elle.

Taylor la prit par les épaules et la força à lui faire face, étudiant son visage avec attention.

— Vous avez l'air épuisée, remarqua-t-il en effleurant les cernes qui soulignaient ses yeux.

Il fronça les sourcils et secoua doucement la tête.

— Je ne crois pas vous avoir déjà vue aussi fatiguée auparavant, murmura-t-il. Vous semblez toujours si forte et si pleine de vie, d'ordinaire...

B.J. recula pour échapper au contact de ses mains, qui l'empêchaient de penser clairement.

— Je suppose qu'il me faut un peu de temps pour m'habituer à cet endroit, répondit-elle avec un pâle sourire.

— Vous êtes trop généreuse pour votre propre bien, B.J., lui dit-il gravement. Vous seriez en droit de me demander des excuses.

— Taylor, la seule chose que j'aimerais, c'est que nous soyons amis.

Cédant à une brusque impulsion, elle lui posa doucement sa main sur l'épaule.

— Amis ? répéta Taylor en souriant à son tour. B.J., vous êtes vraiment incroyable...

Prenant ses mains dans les siennes, il les porta à ses lèvres.

— Très bien, conclut-il. Soyons amis, puisque c'est ce que vous désirez.

En dehors de quelques mouettes, la plage était complètement déserte. La bande de sable blond et fin s'étendait à perte de vue et B.J. laissa son regard errer sur ce paysage enchanteur. Elle appréciait le calme et la tranquillité des lieux.

— On a l'impression que tous les gens ont disparu et que nous sommes seuls au monde.

— Ce n'est pas une idée qui me semblerait déplaisante, remarqua Taylor.

— A moi non plus, avoua-t-elle en souriant.

— Vous aimez la solitude, n'est-ce pas ?

— Je ne sais pas. Je dirais plutôt qu'elle ne me fait pas peur. Par contre, je n'aime pas la foule. Lorsque je dois voir des gens, je préfère que ce soit en tête à tête. Cela me permet de savoir qui ils sont réellement et ce qu'ils attendent de moi. Parfois, j'ai l'impression de pouvoir leur apporter quelque chose. Surtout de petites choses, des réponses à de petits problèmes. Je ne suis pas très douée pour les questions profondes et les grandes discussions philosophiques.

— Vous savez ce que l'on dit : les plus longs pèlerinages commencent toujours par un petit pas.

B.J. lui jeta un regard étonné. Ce n'était pas le genre de choses qu'elle aurait imaginé entendre de sa bouche.

— Que diriez-vous de faire la course ? suggéra-t-il. Le premier dans l'eau a gagné.

La jeune femme le considéra d'un œil critique avant de secouer la tête.

— Pas question ! s'exclama-t-elle. Vous êtes beaucoup plus grand que moi, ce qui vous donne un très net avantage.

— Vous oubliez que je vous ai vue courir. Et je sais que malgré votre taille, vous avez de très longues jambes.

B.J. fit mine d'hésiter.

— Dans ce cas, c'est parti ! s'écria-t-elle en se précipitant soudain en direction de l'eau.

Elle courut aussi vite qu'elle le pouvait, mais Taylor parvint à revenir à son niveau et tenta de l'attraper par la taille. B.J. réussit à se dégager une première fois mais, à sa seconde tentative, Taylor parvint à la faire basculer dans l'eau la tête la première.

Ils coulèrent à pic dans un enchevêtrement de bras et de jambes avant d'émerger en toussant.

— Vous allez finir par me noyer ! s'exclama-t-elle en riant.

— Ce n'est pas du tout mon intention, répondit Taylor, qui la tenait toujours étroitement enlacée. Tenez-vous tranquille ou je vous coule une fois de plus !

B.J. se détendit et tous deux restèrent en surface, dans les bras l'un de l'autre. La jeune femme se laissa aller quelques instants au bien-être que lui inspirait cette innocente étreinte. Pressée contre Taylor, elle se sentait protégée et avait l'impression que rien ne pourrait jamais l'atteindre.

Puis il posa doucement sa bouche sur ses cheveux mouillés et elle ferma les yeux, s'abandonnant à lui. Ses lèvres glissèrent jusqu'au lobe de son oreille, qu'il mordilla doucement, la faisant frémir de plaisir.

Il lui embrassa ensuite le cou tout en la rapprochant encore un peu plus de lui. Finalement leurs bouches se trouvèrent et ils échangèrent un baiser au goût de sel. Taylor faisait preuve d'une infinie tendresse, maîtrisant la passion qui couvait en eux et qui menaçait de les emporter à chaque instant.

Ses doigts se glissèrent habilement sous son maillot de bain et il lui caressa la poitrine, lui arrachant un gémissement langoureux.

Flottant entre deux eaux, offerte aux mains et aux lèvres de l'homme dont elle était éperdument amoureuse, B.J. avait l'impression de se trouver dans un état second, de dériver entre rêve et réalité. Frissonnante de désir, elle regretta de ne pouvoir demeurer ainsi pour toujours.

— Tu vas attraper froid, murmura Taylor, se méprenant sur les raisons de son léger tremblement. Viens.

S'écartant légèrement d'elle, il la prit par la main et ils remontèrent jusqu'à la plage. Là, ils s'assirent côte à côte et laissèrent les rayons du soleil les réchauffer et sécher les gouttes d'eau qui les recouvraient, ne laissant sur leur peau que de petites traînées de sel.

B.J. n'osait pas dire un mot, craignant que ses paroles ne dissipent brusquement le délicieux enchantement dont ils étaient les victimes consentantes. Elle repensa alors à ce que Taylor lui avait déclaré, peu de temps après leur première rencontre.

Il lui avait prédit qu'elle serait sienne un jour et elle devait bien reconnaître aujourd'hui qu'il ne s'était pas trompé. Elle avait lutté de toutes ses forces contre l'attirance qu'il lui inspirait et contre l'envie dévorante qu'elle avait de lui, mais en vain.

Pourtant, elle n'était pas pour autant décidée à devenir l'une de ses maîtresses et à jouer dans sa vie le même rôle que Darla. Peut-être n'était-ce pas une fatalité, se prit-elle à espérer. Peut-être y avait-il dans leur relation quelque chose de différent.

Car elle ne ressemblait pas à Darla ni aux autres femmes qu'il devait être amené à fréquenter dans les milieux au sein desquels il évoluait. Elle n'était ni sophistiquée, ni expérimentée en amour, ni rompue aux jeux de la séduction.

Mais était-ce vraiment suffisant pour le retenir ? Ne finirait-il pas par se lasser de cette simplicité et de cette naïveté lorsqu'elles auraient perdu l'attrait de la nouveauté ?

De son côté, B.J. n'était pas certaine d'avoir les moyens de résister très longtemps à ses avances. Si son attirance pour lui n'avait été qu'un phénomène purement physique, elle aurait pu prendre ce qu'il avait à lui donner et tourner ensuite la page. Mais elle était incapable de dissocier l'emportement de ses sens des sentiments qu'il lui inspirait.

Pour le moment, Taylor avait décidé de faire montre de patience, de lui laisser le temps d'accepter l'inéluctabilité de leur liaison. Mais, tôt ou tard, elle se retrouverait prise au piège. Et elle savait déjà ce qui se produirait alors : l'emportement de la passion, la joie de se donner à lui, le bonheur de partager avec lui des moments précieux puis, inévitablement, la souffrance de le perdre et de se retrouver seule.

— Tu parais être à des années-lumière de moi, déclara Taylor en caressant doucement ses cheveux humides.

Se tournant vers lui, elle l'étudia attentivement, s'imprégnant de chaque ligne de son visage, comme si elle essayait de capturer son image, de la graver au plus profond d'elle-même pour le jour où il disparaîtrait de sa vie.

Elle n'aurait plus alors que le souvenir de ce jour où ils étaient restés assis sur une plage de Floride, riches des promesses muettes que trahissait chacun de leurs regards.

Il y avait tant de force en lui, songea-t-elle avec un mélange d'admiration et de crainte. Tant de pouvoir. Tant d'assurance. Peut-être bien plus qu'elle n'était capable d'en supporter.

A contrecœur, la jeune femme se redressa, sachant qu'elle ne faisait que repousser l'inévitable.

— Je meurs de faim, lança-t-elle. Puisque c'est moi qui ai gagné la course, c'est à toi de m'inviter pour le petit déjeuner.

— Je ne suis pas certain que tu aies vraiment gagné, objecta Taylor en souriant.

— Bien sûr que si ! s'exclama-t-elle. Il n'y a aucun doute à ce sujet.

Taylor enfila son short et son T-shirt et ramassa leurs serviettes.

— Dans ce cas, déclara-t-il, c'est toi qui devrais m'offrir le petit déjeuner à titre de consolation.

— Très bien, répondit-elle. Cela ne te fera pas de mal de te faire entretenir, pour une fois. Que dirais-tu d'un bol de céréales ?

— Ce serait parfait.

— Je ne sais pas si j'aurai les moyens de te l'offrir, remarque. J'ai quasiment été enlevée et conduite ici de force et je n'ai pas beaucoup de liquide sur moi.

— Dans ce cas, je te ferai crédit, répondit Taylor en riant.

Il la prit alors par la main et tous deux remontèrent le sentier qui conduisait à l'hôtel.

Le reste de la journée se déroula comme un rêve. Taylor avait vraiment décidé de se conduire en ami et il se montra absolument charmant. Pour la première fois depuis qu'ils se connaissaient, B.J. en vint presque à oublier le fait qu'il était son employeur et l'un des hommes les plus riches et les plus puissants qu'il lui avait jamais été donné de rencontrer.

Il ne chercha pas à la provoquer ni à la séduire

ouvertement et elle ne tarda pas à oublier ses propres incertitudes pour se laisser aller au simple plaisir de se trouver en sa compagnie.

Il commença par lui faire visiter en détail l'hôtel. Puis ils se rendirent dans le magasin qui se trouvait au rez-de-chaussée et qui offrait aux clients tout un assortiment de vêtements.

Taylor encouragea la jeune femme à en essayer quelques-uns et elle se prêta au jeu, flattée par l'admiration qu'elle lisait dans ses yeux chaque fois qu'elle reparaissait avec une nouvelle tenue.

Lorsqu'il lui proposa de lui en offrir une, elle refusa, n'ayant aucune envie de jouer les femmes entretenues. Ils gagnèrent ensuite une salle remplie de jeux vidéo et passèrent près de deux heures à les tester l'un après l'autre.

— C'est étrange, remarqua Taylor en glissant une nouvelle pièce dans une borne de simulation de course automobile. Je ne comprends pas pourquoi tu me laisses dépenser des fortunes en jeux stupides alors que tu refuses de me laisser t'acheter une robe qui, au final, ne coûterait pas beaucoup plus cher.

— C'est complètement différent, répondit-elle en donnant un grand coup de volant pour éviter un piéton qui se trouvait sur le trottoir. Pousse-toi de là, imbécile ! lui cria-t-elle.

— En quoi ? demanda Taylor, amusé par l'enthousiasme avec lequel elle se prenait au jeu.

— Je ne sais pas, avoua-t-elle. Mais ça l'est… Au fait, tu ne m'as toujours pas dit si tu avais résolu ton problème.

— Quel problème ?

— Celui que tu es venu régler ici.

— Ah, oui… Cela ne devrait pas prendre très longtemps.

— Et zut ! s'exclama B.J. en voyant la voiture qu'elle pilotait effectuer un double tonneau avant d'aller s'encastrer dans un lampadaire.

Sur l'écran, une impressionnante explosion vint sanctionner sa conduite approximative.

— C'est un signe du destin, déclara Taylor en souriant. Allons-nous-en avant que tu ne me mettes définitivement sur la paille. C'est l'heure de déjeuner et j'ai une faim de loup !

B.J. le suivit jusqu'au restaurant situé sur une terrasse qui dominait la mer. Là, ils s'installèrent à l'une des tables libres et commandèrent deux quiches lorraines et une bouteille de chablis.

Tout en mangeant, ils devisèrent gaiement de choses et d'autres, prenant un plaisir évident à se retrouver en tête à tête loin de leurs responsabilités et de leurs préoccupations habituelles.

Comme ils finissaient leurs cafés, B.J. laissa errer son regard sur le panorama splendide qui s'étendait en contrebas. Lorsqu'elle se tourna de nouveau vers son compagnon, elle constata qu'il l'observait avec une étrange intensité.

— Quelque chose ne va pas ? demanda-t-elle, légèrement embarrassée.

— Au contraire. J'adore te regarder. Est-ce que tu savais que tes yeux n'arrêtent pas de changer de couleur en fonction de ton humeur ? Parfois, ils sont aussi foncés qu'un puits sans fond et parfois aussi clairs qu'un lac de montagne. Ils trahissent tout ce que tu penses.

B.J. rougit et détourna la tête, craignant qu'il ne lise en elle l'amour qu'elle éprouvait pour lui.

— Tu es si belle, ajouta-t-il d'un ton presque rêveur.

Il porta la main de la jeune femme à ses lèvres pour y déposer un petit baiser.

— Je ne devrais peut-être pas te le dire trop souvent, ajouta-t-il en riant. Tu finirais par me croire et perdre cette innocence qui te rend si désirable.

Sans lâcher sa main, Taylor se leva et l'aida à faire de même.

— Malheureusement, il va me falloir t'abandonner, lui dit-il. J'ai quelques affaires à régler. Si tu veux, je vais te conduire au sauna. Là, tu pourras te baigner et te faire masser, ce qui devrait t'aider à chasser les effets de cette nuit d'insomnie.

*
* *

Pendant les trois heures qui suivirent, B.J. essaya presque toute la gamme de thalassothérapie qu'offrait l'hôtel. Elle passa successivement dans un bain de boue, sous une douche à jets, par le sauna et le hammam. Là, elle eut droit à un massage qui l'aida à se détendre et dénoua ses muscles endoloris.

Elle s'abandonna avec reconnaissance aux mains habiles de la masseuse et ferma les yeux, se laissant dériver à mi-chemin du sommeil et de l'éveil. C'est alors qu'elle entendit le nom de Taylor prononcé par une femme qui se trouvait sur une table située non loin d'elle.

— Non seulement il est très riche, disait-elle, mais, en plus, il est absolument superbe. Je suis vraiment étonnée que personne ne lui ait mis le grappin dessus !

— Ce ne sont pourtant pas les volontaires qui ont manqué, répondit une autre voix féminine. Et je suis certaine que cela l'amuse beaucoup. Les hommes comme lui ne s'épanouissent que sous l'effet de l'admiration des femmes qui l'entourent.

— Eh bien, la mienne lui est tout acquise.

— Malheureusement pour toi, il est avec quelqu'un, en ce moment. Je les ai vus ensemble hier, près de la piscine, et tout à l'heure, au restaurant.

— Effectivement, il y avait une femme avec

lui quand il est arrivé. Mais j'avoue que j'étais trop occupée à le regarder pour prêter vraiment attention à sa compagne. A quoi ressemble-t-elle ?

— C'est une petite blonde, plutôt jolie. Pas du tout le genre de fille que j'imaginais avec Taylor. Elle a l'air trop... Je ne sais pas. Trop normale, peut-être.

B.J. ne put s'empêcher de sourire. Puisqu'elle était considérée comme la maîtresse attitrée de Taylor, elle était curieuse d'apprendre ce que les gens pensaient d'elle.

— Tu sais qui c'est, exactement ?

— Oui. J'ai déboursé vingt dollars de pourboire pour l'apprendre de l'un des employés de l'hôtel. Apparemment, elle s'appelle B.J. Clark. Mais personne ne sait rien d'elle. Elle n'était encore jamais venue à l'hôtel, avec ou sans Reynolds.

— Penses-tu qu'elle ait une chance de le garder ?

— C'est difficile à dire. Peut-être... Tu aurais dû voir la façon dont il la dévorait des yeux pendant leur déjeuner. J'en étais malade de jalousie !

— Elle doit vraiment être superbe.

— Ce n'est pas un mannequin. Elle n'a pas ce genre de beauté insolente qui fait se retourner tous les hommes. Mais elle est très jolie. Elle a de très beaux yeux et des cheveux magnifiques.

— Je suis flattée, déclara malicieusement B.J. en se redressant sur sa table de massage. Ce n'est pas si souvent qu'une femme reconnaît les mérites d'une autre.

Comprenant à qui elles avaient affaire, les deux femmes mirent brusquement un terme à leur conversation et détournèrent les yeux, gênées.

Amusée, B.J. s'allongea langoureusement pour continuer à se faire masser.

Chapitre 11

Rafraîchie et plutôt satisfaite d'elle-même, B.J. retourna à la suite, portant sous son bras la boîte qui contenait la robe dont elle venait de faire l'acquisition. Après sa séance de massage, elle était retournée dans la boutique qu'elle avait visitée avec Taylor et avait voulu acheter une robe de soie grise qu'il avait beaucoup aimée.

La vendeuse lui avait répondu que Taylor avait exigé que tous les achats qu'elle pourrait faire dans le magasin lui soient directement facturés. A la fois touchée par sa générosité et agacée par la façon dont il cherchait une fois de plus à lui forcer la main, elle avait protesté.

Mais la vendeuse s'était montrée intraitable. B.J. avait donc fini par prendre la robe, bien décidée à rembourser Taylor par la suite.

De retour dans sa chambre, elle se fit couler un bain moussant qu'elle garnit généreusement de sels divers. Elle s'y allongea et ferma les yeux, laissant l'eau brûlante détendre ses muscles et faire naître en elle une délicieuse langueur.

Elle repensa alors à la conversation qu'elle avait surprise dans le salon de massage et sourit. Jamais elle n'aurait imaginé pouvoir être perçue comme une femme mystérieuse capable de séduire un homme si désiré et de susciter une telle jalousie.

La plupart des gens qui la connaissaient auraient probablement trouvé cette vision passablement ridicule, voire tout bonnement surréaliste. B.J. était généralement considérée comme une femme aux goûts simples et terre à terre, dénuée de tout artifice.

— Te voilà de retour, fit la voix de Taylor.

B.J. sursauta et rouvrit les yeux pour le découvrir négligemment appuyé contre le chambranle de la porte de la salle de bains.

— Est-ce que tu t'es bien amusée ? ajouta-t-il.

— Taylor ! s'exclama-t-elle, terriblement embarrassée. Je suis en train de prendre un bain !

Elle répartit la mousse à la surface de l'eau pour s'assurer qu'elle dissimulait son corps.

— Je m'en rends bien compte, répondit-il. Mais ne t'en fais pas, ta pudeur est sauve. Je ne vois malheureusement rien d'autre qu'un tas de bulles. Est-ce que tu veux boire quelque chose ?

Il s'était exprimé d'un ton amical et détaché, comme s'il était habitué à la voir se baigner devant lui. La jeune femme se rappela la conversation qu'elle avait surprise et décida de jouer le jeu.

Après tout, ce n'était pas tous les jours qu'elle incarnait une femme fatale, l'amante d'un beau millionnaire que toutes lui enviaient.

— Avec plaisir, répondit-elle d'une voix plaisante. Je prendrais volontiers un verre de porto.

Il hocha la tête et disparut en direction du bar. B.J. pria pour que la mousse tienne jusqu'à ce qu'elle ait pu sortir de son bain et enfiler un peignoir. Quelques instants plus tard, Taylor reparut.

— Madame est servie, déclara-t-il en déposant un verre sur le rebord de la baignoire.

— Je vais bientôt sortir, lui annonça B.J. avec un sourire enjôleur. Est-ce que tu veux que je te laisse l'eau ?

— Prends ton temps. Je vais utiliser l'autre salle de bains.

— Comme tu voudras, répondit-elle en haussant les épaules d'un air faussement décontracté.

Taylor quitta de nouveau la pièce, refermant la porte derrière lui, et la jeune femme sourit, enchantée par la petite comédie qu'elle venait de lui jouer. Qui sait ? Elle parviendrait peut-être à le convaincre qu'elle était capable de la même sophistication que Darla Trainor, quand la fantaisie lui en prenait...

Pendant cinq bonnes minutes, B.J. contempla le reflet que lui renvoyait le miroir en pied qui trônait dans sa chambre. La robe grise formait un drapé élégant, soulignant la courbe de sa poitrine et la finesse de sa taille.

Son décolleté révélait la naissance de ses seins ainsi qu'une partie de son dos. La jupe était longue mais fendue jusqu'à mi-cuisse, ajoutant à la sensualité de l'ensemble. Elle avait attaché ses cheveux en chignon, laissant quelques mèches libres caresser ses joues, et s'était légèrement maquillée.

B.J. avait presque du mal à se reconnaître dans cette créature sensuelle et élégante qui lui renvoyait son regard. Sa nouvelle apparence avait même quelque chose d'intimidant, comme si elle révélait une facette d'elle-même dont elle n'avait jusqu'alors jamais pris conscience.

Elle se demanda si elle serait à la hauteur de cette image si sophistiquée. Après tout, elle n'était pas habituée à évoluer dans les milieux mondains. Et pour une femme de son âge, elle manquait cruellement d'expérience face à un homme comme Taylor.

— Tu es prête ? appela ce dernier à travers la porte de la chambre.

— Oui, j'arrive ! répondit-elle avant de jeter un dernier coup d'œil à la glace. Après tout, murmura-t-elle, ce n'est qu'une simple robe.

Se détournant du miroir, elle gagna le salon

de la suite. Là, Taylor était en train de leur servir un apéritif. Lorsqu'il la vit entrer, il s'immobilisa brusquement et l'observa avec attention. Elle se sentit quelque peu réconfortée par la lueur appréciative qui brillait dans son regard.

— Je vois que tu t'es décidée à l'acheter, finalement, lui dit-il en souriant.

Reprenant un peu confiance en elle, B.J. traversa la pièce pour le rejoindre.

— Oui, répondit-elle. Je me suis dit qu'étant donné ma réputation il fallait que j'investisse dans une nouvelle garde-robe.

— Ta réputation ? répéta Taylor, dérouté. Qu'est-ce que tu veux dire par là ?

Il lui tendit un verre de vin blanc qu'elle accepta avant de lui répondre.

— J'ai surpris une conversation pendant que je me faisais masser, expliqua-t-elle avec un sourire amusé. C'était vraiment très drôle. Je ne suis pas sûre que tu saches à quel point tes liaisons sont suivies de près.

B.J. entreprit alors de lui décrire en détail ce qui s'était passé.

— Je t'avoue que cela a fait beaucoup de bien à mon ego, conclut-elle en riant. C'est bien la première fois que je passe pour une femme fatale et que je provoque de telles jalousies ! J'espère que personne ne saura que je ne suis en réalité que la gérante de l'un de tes hôtels. Cela ternirait un peu mon aura de mystère !

— Ne t'en fais pas pour ça, répondit Taylor avec une pointe de cynisme. De toute façon, personne n'y croirait.

Il ne paraissait pas particulièrement amusé par la situation, réalisa B.J. Mais peut-être l'aurait-elle été beaucoup moins, elle aussi, si ce genre de chose avait fait partie de son quotidien. Une fois de plus, elle se dit que Taylor vivait dans un tout autre monde que le sien. Mais, pour ce soir au moins, elle était bien décidée à ne pas laisser de telles considérations gâcher sa bonne humeur.

— Tu ne m'as pas dit ce que tu pensais de ma robe, remarqua-t-elle.

— Je l'aime beaucoup, répondit-il. Elle te met admirablement en valeur. Et pour fêter cette élégante acquisition, que dirais-tu d'un petit dîner au champagne ?

La table que Taylor avait réservée au restaurant de l'hôtel était située un peu à l'écart, près d'une grande baie vitrée qui surmontait le parc. Celui-ci était habilement illuminé et offrait un cadre magnifique par-delà lequel on devinait les eaux sombres de l'océan.

Taylor et B.J. commencèrent leur repas par des

huîtres chaudes avant de commander un saumon relevé d'une délicieuse sauce au fenouil.

— C'est un endroit magnifique, déclara la jeune femme tandis que leur serveur apportait le plat principal. J'adore la façon dont sont disposés les aquariums qui séparent les tables. Malgré la taille de la pièce, ils offrent aux convives une certaine intimité tout en rappelant que l'on se trouve en bord de mer.

— J'avoue que je suis assez satisfait de la façon dont cet hôtel a été aménagé, acquiesça Taylor. D'ailleurs, je ne dois pas être le seul car il ne désemplit pas.

— Cela ne m'étonne pas. Cet endroit est si dépaysant ! Et j'ai remarqué que le personnel était d'une rare efficacité. Il est à la fois omniprésent et discret. Est-ce que tu es déjà venu ici pendant l'hiver ?

— Non, répondit Taylor. J'évite généralement de visiter mes hôtels lorsqu'ils sont en pleine saison touristique.

— La nôtre commence dans quelques semaines, remarqua B.J.

Taylor posa doucement la main sur le poignet de la jeune femme.

— Jusqu'ici, nous avons réussi à ne pas parler de l'auberge et j'aimerais vraiment que nous finissions cette soirée sans aborder le sujet. Nous aurons tout le temps d'en discuter à partir de demain, lorsque nous serons de retour en Nouvelle-Angleterre. Je n'ai pas l'habitude de parler affaires lorsque je dîne avec une jolie femme.

B.J. sourit, flattée par le compliment. Elle était tout à fait prête à se plier à ses désirs et à profiter au maximum de cette dernière soirée en tête à tête avec Taylor.

— De quoi parles-tu, dans ces cas-là ? demanda-t-elle avec curiosité.

— De choses plus personnelles, répondit-il en caressant doucement sa main. De l'effet que sa voix produit sur moi, de la façon dont je devine ses sourires dans ses yeux avant même qu'ils n'apparaissent sur ses lèvres, de la chaleur troublante de sa peau sous mes doigts…

— Je crois que tu te moques de moi, remarqua B.J. d'une voix chargée de reproches.

— Crois-moi, lui assura gravement Taylor, ce n'est pas du tout mon intention.

Satisfaite de cette réponse, B.J. lui sourit. Ils devisèrent de choses et d'autres et le dîner passa comme un rêve. La jeune femme savait que, quoi qu'il puisse se produire entre eux par la suite, elle n'oublierait jamais cette soirée.

Jamais elle ne s'était sentie aussi proche de Taylor. Ils paraissaient enfin avoir trouvé un terrain d'entente, une forme d'amitié amoureuse qui la troublait délicieusement sans réveiller ses angoisses.

Lorsqu'ils eurent terminé leurs cafés, Taylor lui suggéra une promenade en bord de mer. Main dans la main, ils descendirent donc jusqu'au rivage et marchèrent en silence, profitant de ce moment d'intimité et du paysage idyllique éclairé par la lune.

L'odeur de l'iode se mêlait à celle des orangers qui poussaient dans le parc et B.J. s'en imprégna. Elle voulait retenir chaque détail de cette nuit, les graver à jamais dans sa mémoire. Lorsque Taylor aurait disparu de sa vie, il lui resterait ces souvenirs qui la réconforteraient au milieu de la solitude.

Jamais plus elle ne regarderait le ciel étoilé sans penser à lui. Jamais plus elle ne s'assiérait au bord de la mer sans se rappeler ces instants magiques. Car, ce soir, elle était décidée à se donner à l'homme qu'elle aimait, à s'offrir à lui sans retenue.

Le lendemain, ils seraient de retour à Lakeside et retrouveraient leurs responsabilités et leurs différends professionnels. Dans quelques jours, il repartirait probablement pour New York et ne serait plus qu'un nom sur l'en-tête des lettres que lui ferait parvenir sa société.

Mais, ce soir, il serait entièrement à elle. Ils partageraient quelques heures de bonheur sans se soucier de l'avenir. Peut-être cela n'aurait-il pas beaucoup d'importance aux yeux de Taylor. Mais, à ceux de B.J., ce serait la matérialisation de cet amour qu'elle ne pouvait continuer à réprimer.

— Tu as froid ? lui demanda Taylor, la sentant frissonner contre lui. Tu trembles.

Il passa un bras autour de ses épaules et la serra contre lui pour lui communiquer un peu de chaleur.

— Nous ferions peut-être mieux de rentrer, ajouta-t-il.

B.J. acquiesça en silence et le suivit en direction de l'hôtel. A mesure qu'ils en approchaient, elle sentait croître sa nervosité à l'idée de ce qui se passerait ensuite.

— Regarde, Taylor, souffla-t-elle à son compagnon tandis qu'ils pénétraient dans le grand hall. C'est l'une des deux femmes qui discutaient dans le salon de massage.

D'un discret mouvement de la tête, elle lui désigna une jeune femme aux cheveux bruns qui les observait attentivement. Taylor ne lui prêta aucune attention et entraîna B.J. en direction des ascenseurs.

— Tu crois que je devrais lui faire signe ? demanda-t-elle en souriant.

— Non, j'ai une bien meilleure idée, répondit-il malicieusement. Ceci devrait lui donner un sujet de conversation…

Sur ce, il prit B.J. dans ses bras et l'embrassa avec passion sans se soucier des gens qui les regardaient avec un mélange de curiosité et d'amusement. B.J. ne chercha pas à lui résister et lui rendit son baiser avec enthousiasme.

Lorsqu'ils se séparèrent enfin, elle adressa un petit sourire à la brunette avant de suivre Taylor dans l'ascenseur. Quelques instants plus tard, ils se retrouvèrent seuls dans la grande suite.

— C'est dommage, remarqua la jeune femme en souriant. Il n'y a aucun événement trouble ou fascinant dans mon passé qu'elle pourrait être amenée à découvrir.

— Ne t'en fais pas, la rassura-t-il. Si elle ne trouve rien, elle ne manquera pas d'en inventer. Est-ce que tu veux boire quelque chose ?

— Non, merci, répondit B.J. en riant. Je crois que j'ai un peu trop bu. Et je dois m'arrêter avant de dépasser les limites du raisonnable.

— Je vois, dit Taylor avant de se diriger vers le bar.

Là, il se servit un verre de cognac qu'il respira d'un air appréciateur avant d'en boire une gorgée.

— Dommage, conclut-il en souriant. Moi qui pensais te faire boire pour te rendre plus conciliante ! On dirait bien qu'il ne faut pas y compter.

— J'en ai bien peur.

— Quelle est ta faiblesse, alors ? demanda-t-il en l'observant attentivement.

« Toi », fut-elle tentée de répondre. Evidemment, elle s'en garda bien. Elle ne tenait pas à ce que Taylor se doute des sentiments qu'elle nourrissait à son égard.

S'il avait deviné qu'elle l'aimait, il aurait probablement pris la fuite, craignant de se retrouver impliqué dans une liaison dont il n'avait que faire.

— La musique douce et les lumières tamisées, je crois, répondit-elle pensivement.

Comme par magie, l'intensité des lampes diminua et les premières notes d'une ballade bien connue retentirent dans la pièce.

— Comment as-tu fait ça ? s'exclama B.J., passablement étonnée.

— Il y a un panneau de contrôle derrière le bar, répondit-il en contournant ce dernier pour la rejoindre.

— On ne célébrera jamais assez les mérites de la technologie, déclara B.J. en souriant.

Taylor la prit alors par la main et les battements de son cœur s'accélérèrent.

— Veux-tu m'accorder cette danse ? demanda-t-il galamment.

La jeune femme n'hésita pas un seul instant. Et, dès qu'elle fut dans les bras de Taylor, elle eut l'impression de se retrouver chez elle. Là, elle se sentait parfaitement bien comme si plus rien de mal ne pouvait l'atteindre.

Lentement, il commença à danser et elle se laissa guider, fermant les yeux pour mieux s'abandonner au rythme de la musique et aux effleurements de leurs corps enlacés. C'était comme un prélude à la nuit qu'ils passeraient ensemble, une chaste promesse d'étreintes plus passionnées.

Taylor détacha ses cheveux, les laissant couler librement sur ses épaules. B.J. posa la joue sur son épaule tandis qu'il les caressait doucement. Elle aurait voulu que ce moment se prolonge à l'infini.

— Me diras-tu un jour ce que « B.J. » signifie ? lui demanda-t-il soudain.

— Personne ne le sait, répondit-elle en souriant. Même le FBI n'a pas pu le découvrir.

— J'imagine que je vais en être réduit à poser la question à ta mère.

— Elle ne te le dira pas. Je lui ai fait jurer de garder le secret.

— Je pourrais subtiliser ta carte d'identité.

— Elle indique seulement « B.J. ». C'est le seul prénom que j'utilise.

— Sur ton passeport, peut-être ?

La jeune femme releva les yeux vers lui, lui effleurant au passage la joue de ses lèvres.

— Je n'en ai pas, répondit-elle. Je ne suis jamais partie à l'étranger.

— Vraiment ? s'exclama Taylor, incrédule. Et cela ne t'a jamais tentée ?

— Si, bien sûr. Mais l'occasion ne s'est jamais présentée. Je suppose que je travaille trop…

— Si c'est une façon de me demander une augmentation, c'est raté, répliqua-t-il en riant.

Il déposa un petit baiser sur ses lèvres, éveillant instantanément en elle un irrépressible accès de désir.

— B.J., murmura-t-il alors. Je dois te dire quelque chose…

— Chut, fit-elle en tournant son visage vers lui. Embrasse-moi encore, Taylor. Pour de vrai.

Il parut hésiter et ce fut elle qui prit l'initiative. Lorsque leurs lèvres se rencontrèrent de nouveau, ils furent parcourus d'un frisson de bien-être. Taylor murmura son nom qui se perdit dans leur baiser.

Leurs langues se mêlèrent tandis qu'ils se serraient passionnément l'un contre l'autre. Les mains de Taylor couraient sur le corps de la jeune femme, éveillant en elle d'incoercibles tressaillements qui se propageaient jusqu'au plus profond d'elle-même.

Elle avait l'impression de se consumer de l'intérieur et elle s'abandonnait sans regret à cet incendie qui la dévorait tout entière. Elle sentait le désir de Taylor darder fièrement contre ses hanches et s'émerveillait du pouvoir qu'ils détenaient l'un sur l'autre.

Il y avait de la magie dans leurs baisers et dans leurs caresses qui se faisaient sans cesse plus ardentes, plus conquérantes. L'intensité de l'envie qu'ils avaient l'un de l'autre avait quelque chose de terrifiant et de merveilleux à la fois.

Mais, ce soir-là, cet abandon se doublait pour B.J. d'une inébranlable certitude : elle aimait Taylor. Et cela conférait à chacun de ses gestes une dimension nouvelle. Il ne s'agissait plus seulement de satisfaire un besoin purement physique. Leur étreinte devenait communion.

Soudain, Taylor la souleva de terre avec une facilité déconcertante et la porta jusqu'au canapé sur lequel il l'allongea. Là, ils échangèrent un baiser brûlant et sauvage. Il était à présent allongé sur elle et elle sentait son torse se presser contre sa poitrine que son désir rendait presque douloureuse.

Elle voulait le sentir entrer en elle, posséder pleinement son corps comme il possédait déjà son esprit et son cœur. Taylor dut le deviner car, sans cesser de l'embrasser, il commença à déboutonner sa robe, révélant le soutien-gorge de dentelle grise qu'elle portait dessous.

Avec habileté, il se débarrassa de ce morceau de tissu qui le gênait et dévoila les seins de la jeune femme. Haletante, B.J. le vit s'immobiliser au-dessus d'elle et la contempler avec un mélange d'avidité et de dévotion.

Puis sa bouche se posa sur l'un de ses tétons, lui arrachant un halètement rauque. Renversant la tête en arrière, elle s'arqua pour mieux s'offrir à lui. Sa langue et ses doigts la rendaient folle, décuplant le besoin impérieux qu'elle avait de lui.

Au creux de ses cuisses, une chaleur moite pulsait doucement, irradiant des ondes de plaisir qui remontaient le long de ses membres et investissaient la moindre fibre de son être. Fermant les yeux, elle bascula dans un maelström de sensations enivrantes.

Jamais elle n'avait connu une joie si profonde, si parfaite. Et lorsque les mains de Taylor se posèrent sur ses cuisses nues, elle frissonna d'impatience.

Incapable de résister à ses caresses qui se faisaient sans cesse plus audacieuses, elle le débarrassa de sa chemise, révélant son torse musclé qu'elle couvrit d'une pluie de baisers et d'une myriade de petites morsures qui faisaient naître en lui des gémissements rauques.

S'accrochant à ses épaules, elle l'embrassa une fois encore, se sentant sombrer plus profondément dans un tourbillon de pure sensualité. Ce baiser parut décupler le besoin que Taylor avait d'elle et il recommença à explorer des lèvres et des doigts le corps de B.J., parcouru de spasmes. Sa délicatesse initiale avait disparu, remplacée par une faim sauvage et insatiable.

— Je te veux, murmura-t-elle d'une voix si basse qu'elle eut presque du mal à la reconnaître. Fais-moi l'amour, Taylor, je t'en supplie.

Mais, au lieu de l'encourager, cette supplique parut avoir l'effet inverse. S'écartant légèrement d'elle, Taylor resta quelques instants immobile, contemplant son corps à demi dévêtu.

Dans ses yeux, elle lut le combat qu'il menait contre son propre désir. Affolée, elle devina qu'il était lentement en train de reprendre le contrôle de lui-même. Elle essaya de l'embrasser une fois encore mais il captura ses poignets, l'immobilisant sur le canapé.

Sa respiration était hachée, pantelante. Il ferma les yeux et elle vit les muscles de sa mâchoire se contracter. Puis, brusquement, il s'arracha à elle. B.J. eut l'impression qu'elle allait en mourir.

Son être tout entier appelait Taylor. Le besoin qu'elle avait de lui était devenu si fondamental qu'elle avait l'impression qu'il venait de la priver d'air. Haletante, elle luttait désespérément contre la sensation déchirante de manque qui l'écartelait.

C'était une souffrance si profonde, si absolue qu'elle se situait au-delà des mots et des larmes, au-delà des supplications et des menaces. Incapable d'articuler le moindre mot, d'esquisser le moindre geste, elle vit Taylor se diriger vers le bar.

Là, il se servit un nouveau verre de cognac qu'il

avala cul sec. Après ce qui lui parut une éternité, il trouva enfin le courage de poser les yeux sur la jeune femme.

— Je n'aurais pas dû faire cela, déclara-t-il d'une voix aussi dure et froide que l'acier. C'était une erreur. Tu ferais mieux d'aller te coucher.

En entendant ces mots, B.J. sentit lentement refluer la douleur et la frustration qui la tenaillaient. Elles laissaient place à un désespoir si profond qu'il lui semblait tituber au bord d'un gouffre vertigineux dans lequel elle risquait de basculer à chaque instant.

Vaincue, humiliée, elle se força enfin à s'asseoir et à remettre de l'ordre dans sa tenue. Mais ses mains tremblaient si violemment qu'elle fut incapable de reboutonner sa robe froissée.

— Va te coucher, répéta Taylor, impitoyable.

— Je ne comprends pas, balbutia-t-elle d'une voix tremblante. Je… je croyais que tu avais envie de moi…

Elle était incapable de retenir ses larmes qui coulaient lentement le long de son visage et qu'elle n'avait même plus assez de fierté pour essuyer.

— C'est le cas, répondit Taylor.

Une infime lueur d'espoir s'éveilla dans le cœur déchiré de B.J.

— Va dormir, lui dit-il alors, ravivant sa détresse.

Nous devons nous lever tôt, demain, pour rentrer à Lakeside.

— Je ne comprends pas, insista-t-elle, désespérée.

— Va-t'en ! s'exclama-t-il rageusement. Va-t'en avant que j'oublie ce qui me reste de principes !

Effondrée, B.J. se força à se lever. D'un pas mécanique, elle se dirigea vers le couloir qui menait à sa chambre. Mais, avant de l'emprunter, elle se tourna vers Taylor en un ultime sursaut de fierté.

— Je tiens à ce que tu saches que ce que je t'ai offert, je ne te l'offrirai plus jamais, lui dit-elle en le regardant droit dans les yeux malgré ses larmes qui continuaient à couler. Plus jamais je ne te laisserai me toucher. Plus jamais tu ne m'embrasseras. Désormais, la seule chose que nous aurons en commun, toi et moi, c'est l'auberge de Lakeside.

— Soit, acquiesça Taylor. Je saurai m'en contenter pour le moment.

Il se servit un nouveau verre qu'il vida presque aussi vite que le premier. Résignée, B.J. se détourna lentement et gagna sa chambre où, cette fois, elle s'enferma à double tour.

Chapitre 12

B.J. retrouva avec soulagement la routine familière de son travail à l'auberge. Elle avait l'impression de s'éveiller d'un rêve à la fois terrible et magnifique qui, une fois dissipé, ne lui aurait laissé que d'amers regrets et cette sensation de perte déchirante qui s'emparait d'elle chaque fois qu'elle repensait à ce qui aurait pu se passer entre Taylor et elle.

Après leur dernière soirée en Floride, ils avaient repris l'avion pour la Nouvelle-Angleterre. Durant tout le voyage, ils s'étaient réfugiés dans un silence lourd de non-dits. Taylor avait passé son temps à travailler tandis que B.J. se plongeait dans la lecture d'un magazine pour tenter de faire abstraction de la souffrance qui la taraudait.

Durant les deux jours qui suivirent leur retour à Lakeside, la jeune femme s'efforça d'éviter Taylor autant qu'elle le pouvait. Ce ne fut d'ailleurs pas très difficile puisque ce dernier semblait ne faire aucun effort pour la voir.

B.J. s'efforça de se préparer psychologiquement

à son départ, sachant qu'il laisserait en elle un vide vertigineux dans lequel il lui serait facile de se perdre. Malheureusement, le travail ne suffisait pas à lui faire oublier le bonheur qu'elle avait entrevu de façon fugitive au cours de leur séjour en Floride.

Les images de ces brefs moments de complicité la hantaient et, chaque soir, lorsqu'elle se retrouvait seule dans sa chambre, elle s'endormait en pleurant.

La présence de Darla rendait la situation encore plus pénible. En effet, malgré le fait que Taylor ne passait que peu de temps en compagnie de sa décoratrice attitrée, la simple présence de celle-ci était pour B.J. un rappel constant et douloureux de ses propres insuffisances.

Car, si elle savait pertinemment que Taylor l'avait désirée, elle s'expliquait son brusque revirement d'attitude par le fait qu'elle avait été incapable de répondre à ses attentes. Elle n'avait ni la grâce, ni la sensualité, ni l'élégance de Darla. Et Taylor avait certainement fini par s'en rendre compte, ce qui avait sonné le glas de leur idylle.

Le surlendemain de leur retour, comme B.J. s'était réfugiée dans sa chambre pour mettre à jour sa comptabilité, elle fut brusquement tirée de son travail par des cris et des imprécations qui se faisaient entendre quelque part dans l'auberge.

Inquiète, elle se leva brusquement, renversant au passage son livre de comptes et une épaisse pile de factures qu'elle venait de trier pendant près d'une heure. Etouffant un juron, elle sortit pour chercher l'origine de ces éclats de voix. Et elle ne tarda pas à réaliser qu'ils provenaient de la chambre 314, celle qui avait été attribuée à Darla.

Poussant la porte, B.J. pénétra dans la pièce et resta figée de saisissement devant le tableau qui s'offrait à ses yeux. Car Darla Trainor, qui se montrait d'ordinaire si raffinée, était en train de se battre avec l'une des femmes de chambre.

Eddie essayait vainement de s'interposer entre elles, mais aucune des deux femmes ne paraissait décidée à lui prêter la moindre attention. B.J. s'avança pour voler à sa rescousse, bien décidée à mettre fin à cet absurde pugilat.

— Louise ! vociféra-t-elle en repoussant la femme de chambre. Calmez-vous immédiatement ! Je vous rappelle que Mlle Trainor est notre invitée et qu'elle doit être traitée avec autant de déférence que n'importe quel client. Quant à vous, ajouta-t-elle en se tournant vers Darla, cessez de hurler. Cela ne vous aidera pas à résoudre le problème, quel qu'il soit.

Mais Darla ne l'entendait pas de cette oreille et fit mine de se jeter de nouveau sur Louise. B.J. n'eut d'autre choix que de la repousser, mais elle refusa de se laisser faire et décocha à la jeune femme un coup de poing qui la prit par surprise et la déséquilibra.

Projetée violemment en arrière, B.J. alla heurter de la tête l'armoire qui se trouvait juste derrière elle. Une lueur fulgurante éclata devant ses yeux avant qu'elle ne sombre dans les ténèbres.

Ce fut la voix inquiète de Taylor qui la ramena à elle. Lentement, elle reprit conscience et réalisa qu'elle était allongée sur le lit de Darla. Une douleur sourde pulsait dans son crâne et elle ne put réprimer un petit gémissement de souffrance.

— Reste allongée, lui conseilla Taylor en écartant doucement une mèche de ses cheveux.

L'inquiétude et la tendresse qu'elle lisait dans son regard éveillèrent en elle un mélange de reconnaissance et de tristesse.

— Que s'est-il passé? demanda-t-elle en essayant de se redresser.

Taylor la repoussa gentiment en arrière.

— C'est bien ce que j'essaie de savoir, répondit-il.

Jetant un coup d'œil autour d'elle, B.J. aperçut Eddie, assis sur le canapé et tentant maladroitement de réconforter Louise, qui sanglotait. Près de la fenêtre se tenait Darla, qui arborait une expression indignée.

B.J. se rappela alors ce qui s'était produit quelques minutes auparavant.

— Lorsque je suis arrivée, expliqua-t-elle à Taylor, Darla et Louise se battaient tandis qu'Eddie essayait de les séparer. J'ai voulu intervenir mais Mlle Trainor m'a assené un coup de poing et je me suis cogné la tête contre un meuble.

En entendant le récit de la jeune femme, Taylor s'était figé. Dans son regard, elle perçut une lueur de colère glacée qui lui était familière.

— Elle t'a vraiment frappée ? demanda-t-il d'une voix menaçante.

— C'était un accident, Taylor, intervint Darla d'un air faussement navré. J'essayais simplement de décrocher ces affreux rideaux lorsque cette femme de chambre est entrée. Elle a commencé à crier et à me tirer par la manche et les choses ont dégénéré. Puis Eddie est arrivé à son tour et s'est mis à crier, lui aussi, bientôt suivi par Mlle Clark, qui m'a sauté dessus. J'ai juste essayé de la repousser...

— C'est faux ! s'exclama Louise, outrée. Lorsque je suis entrée pour faire la chambre, j'ai trouvé Mlle Trainor debout dans le fauteuil Bentwood. Elle n'avait même pas pris la peine d'enlever ses chaussures ! Je lui ai demandé poliment ce qu'elle faisait et elle m'a répondu qu'elle comptait décrocher les rideaux qu'elle trouvait horribles et démodés comme le reste de l'auberge. Je lui ai dit qu'elle n'avait pas le droit de faire ça et je lui ai demandé de descendre.

— Demandé ? s'exclama Darla, méprisante. Vous m'avez attaquée, voulez-vous dire !

— Seulement parce que vous refusiez de descendre et que vous m'avez poussée, objecta Louise.

— Taylor, protesta Darla en s'avançant vers ce dernier, les yeux pleins de larmes, tu ne peux pas permettre à cette femme de me parler de cette façon. Je pense que tu devrais la renvoyer sur-le-champ. Elle est complètement folle et aurait pu me faire du mal.

Rendue furieuse par cette démonstration édifiante de mauvaise foi, B.J. se redressa et quitta péniblement le lit sur lequel elle se trouvait.

— Suis-je toujours gérante de cette auberge ? demanda-t-elle à Taylor.

— Bien sûr, répondit-il, étonné.

— Dans ce cas, mademoiselle Trainor, je suis la seule personne habilitée à engager ou à renvoyer le personnel de l'hôtel. Si vous souhaitez vous plaindre de Louise, écrivez-moi une lettre en bonne et due forme et je vous promets que je la prendrai en considération. Par contre, je me dois de vous avertir que vous serez tenue pour responsable de tout dommage causé dans votre chambre. Nous ne pouvons laisser nos clients dégrader impunément le mobilier.

— Taylor ! protesta Darla. Tu ne vas tout de même pas la laisser faire !

— Tu devrais peut-être conduire Mlle Trainor au bar et lui servir un verre, suggéra B.J. à Taylor. Nous discuterons de cette affaire à tête reposée.

Il l'observa attentivement, comme s'il voulait s'assurer qu'elle n'avait plus besoin de lui. Finalement, il hocha la tête.

— Très bien, déclara-t-il. C'est ce que je vais faire. En attendant, repose-toi jusqu'à ce soir. Je veillerai à ce que personne ne te dérange.

B.J. acquiesça, quitta la chambre de Darla et regagna la sienne. Les factures étaient toujours éparpillées en désordre sur le sol mais elle ne se sentit pas le courage de les trier de nouveau.

Son mal de tête s'était aggravé et la faisait cruellement souffrir. Aussi se contenta-t-elle d'avaler deux aspirines avant de s'allonger sur son lit. Alors qu'elle était sur le point de s'endormir, il lui sembla entendre s'ouvrir la porte de sa chambre. Quelqu'un s'approcha d'elle et lui caressa doucement les cheveux avant de déposer un léger baiser sur ses lèvres.

Elle se demanda s'il s'agissait d'un rêve, mais elle était bien trop fatiguée pour se forcer à rouvrir les yeux. Quelques instants plus tard, elle dormait à poings fermés.

Lorsqu'elle se réveilla quelques heures plus tard, sa migraine s'était légèrement atténuée et elle se sentait nettement plus en forme.

Quittant son lit, elle remarqua avec étonnement que quelqu'un avait ramassé les factures qui parsemaient le sol de sa chambre et les avait posées sur son bureau. B.J. s'en approcha et constata qu'elles étaient rangées dans l'ordre.

Se préparant mentalement à une nouvelle confrontation avec Darla, elle quitta la pièce et descendit au rez-de-chaussée. Là, Eddie, Maggie et Louise se trouvaient en plein conciliabule et elle les rejoignit pour s'enquérir du sujet de leur débat.

— B.J.! Tu es réveillée. M. Reynolds nous a demandé de veiller à ce que personne ne te dérange, lui indiqua Maggie. Comment te sens-tu? Louise m'a dit que Mlle Trainor t'avait attaquée et que tu avais une belle bosse.

— Ce n'est rien, éluda la jeune femme en observant attentivement le visage embarrassé de ses trois employés. Que se passe-t-il ici, exactement?

Tous trois se mirent à parler en même temps et elle leva la main pour les faire taire.

— Eddie, dis-moi de quoi il retourne.

— C'est à propos de cet architecte, lui répondit son assistant.

B.J. fronça les sourcils, étonnée. A sa connaissance, aucun de leurs clients n'exerçait cette profession.

— De qui parles-tu ? demanda-t-elle.

— De celui qui est venu ici pendant que tu étais en Floride. Bien sûr, nous ne savions pas alors qu'il s'agissait d'un architecte. Dot pensait que c'était un artiste parce qu'il se promenait toujours avec un carnet à croquis et qu'il passait son temps à dessiner.

B.J. sentit monter en elle une brusque inquiétude.

— Quel genre de choses dessinait-il ? s'enquit-elle d'une voix mal assurée.

— L'auberge, principalement. Mais ce n'était pas un simple artiste.

— C'était un architecte, intervint Maggie, incapable de garder le silence plus longtemps.

Eddie lui jeta un regard chargé de reproche.

— Et comment l'avez-vous découvert ?

— Lorsque Louise l'a entendu discuter au téléphone avec M. Reynolds.

L'angoisse de B.J. s'accentua à mesure que ses suspicions se confirmaient.

— Comment cela s'est-il passé, Louise ? demanda-t-elle en se tournant vers la femme de chambre.

— Je ne l'ai pas fait exprès, lui assura celle-ci. En tout cas, pas au début. En fait, j'étais venue faire le ménage dans le bureau, mais comme M. Reynolds était au téléphone, j'ai décidé d'attendre dehors qu'il ait fini. C'est là que je l'ai entendu parler de l'auberge et d'un nouveau bâtiment. Il a prononcé le nom de Fletcher et je me suis rappelé que c'était celui du fameux dessinateur. Ils parlaient de dimensions et de matériaux. Puis M. Reynolds a demandé à M. Fletcher de ne révéler à personne qu'il était architecte tant que lui-même n'aurait pas réglé un certain nombre de problèmes.

— B.J., intervint Eddie d'une voix inquiète en posant la main sur le bras de la jeune femme, est-ce que tu crois qu'il a finalement décidé de transformer l'auberge ? Est-ce que cela signifie qu'il va nous licencier ?

— Bien sûr que non, répondit B.J. d'une voix bien plus assurée qu'elle ne l'était réellement. Il doit s'agir d'un malentendu. M. Reynolds m'a dit qu'il m'avertirait personnellement s'il décidait de modifier quoi que ce soit. Je vais aller en discuter avec lui. En attendant, ne parlez de cela à personne, d'accord ? Je ne tiens pas à ce que tout le monde commence à s'alarmer à cause d'une rumeur infondée.

— Ce n'est pas une simple rumeur, fit une voix derrière eux.

Stupéfaits, ils aperçurent Darla, qui s'était rapprochée discrètement pour écouter leur conversation.

— Et elle n'a rien d'infondé, ajouta la décoratrice.

— Retournez travailler, ordonna B.J. à ses trois employés. Je m'occupe de cette affaire.

A contrecœur, ils s'exécutèrent, jetant au passage quelques regards accusateurs à Darla Trainor, qui ne paraissait pas s'en soucier le moins du monde.

— Je crois que Taylor veut vous parler, indiqua-t-elle à B.J.

— Vraiment ?

— Oui. Je pense qu'il est prêt à vous faire part de ses projets pour l'auberge. Une chose, en tout cas, est certaine : nous allons avoir du travail.

— Que savez-vous exactement des intentions de M. Reynolds ? demanda B.J., terrifiée.

— Vous ne pensiez tout de même pas qu'il allait laisser cet endroit en l'état simplement parce que telle était votre volonté ? répondit Darla avec un petit sourire ironique. Taylor a l'esprit pratique et il n'a rien d'un philanthrope. Je suppose néanmoins qu'il vous offrira un poste lorsque le nouvel hôtel sera prêt. Mais cela ne changera rien au fait que vous avez perdu la partie. A votre place, je crois que je ferais mes bagages pour éviter une telle humiliation.

— Etes-vous en train de me dire que Taylor a décidé de transformer l'auberge en club de vacances ? demanda B.J. d'une voix mal assurée.

— Evidemment ! s'exclama Darla avec un sourire indulgent. Pourquoi aurait-il besoin d'une décoratrice et d'un architecte, dans le cas contraire ? Mais si c'est le sort de votre personnel qui vous inquiète, soyez rassurée. Je suis certaine qu'il gardera tous les employés, au moins temporairement.

Sur ce, Darla se détourna et se dirigea vers l'escalier, laissant B.J. anéantie. Mais, très vite, son désespoir laissa place à une colère bouillonnante. Montant l'escalier quatre à quatre, elle regagna sa chambre et claqua la porte derrière elle.

Quelques minutes plus tard, elle redescendit en courant et gagna le bureau dans lequel elle s'engouffra sans même prendre la peine de frapper. Taylor quitta aussitôt la chaise sur laquelle il était assis et étudia attentivement le visage de la jeune femme qui trahissait la rage qu'elle éprouvait.

— Pourquoi n'es-tu pas restée tranquillement dans ton lit ? lui demanda-t-il, étonné.

En guise de réponse, elle déposa devant lui la nouvelle lettre de démission qu'elle venait de rédiger. Il la parcourut des yeux avant de se tourner de nouveau vers elle.

— Je croyais que nous avions déjà discuté de cette question, remarqua-t-il calmement.

— Mais tu m'avais donné ta parole ! s'exclama-t-elle, furieuse. Alors tu peux déchirer ma lettre si cela te fait plaisir, mais cela ne me fera pas changer d'avis, cette fois ! Trouve-toi une nouvelle potiche, Taylor. Moi, je démissionne !

Sur ce, elle quitta la pièce à grands pas et manqua percuter Eddie qui traversait le couloir. L'écartant sans ménagement de son chemin, elle réintégra sa chambre. Là, elle sortit ses valises et entreprit d'y jeter pêle-mêle ses affaires sans se soucier de les ranger correctement.

Lorsque la première fut remplie à ras bord de vêtements, de produits de toilette et de livres, elle passa à la seconde. Ce fut alors que la porte s'ouvrit sur Taylor, qui entra et contempla en souriant le chaos qui régnait dans la pièce.

— Sors d'ici ! s'écria-t-elle en regrettant de ne pas être assez grande et forte pour le jeter dehors. Jusqu'à ce que je parte définitivement, cette chambre est la mienne et tu n'as pas le droit d'y entrer sans mon autorisation !

— On ne peut pas dire que tu sois très douée pour faire tes bagages, commenta-t-il d'un ton léger. De toute façon, c'est parfaitement inutile. Tu ne partiras pas d'ici.

— C'est ce que nous verrons, répliqua-t-elle tout en continuant à bourrer sa valise. Dès que j'aurai rassemblé mes affaires, je quitterai l'hôtel. Je ne peux plus supporter de me trouver sous le même toit que toi ! Tu m'avais fait une promesse et je t'ai cru. Je t'ai fait confiance ! Comment ai-je pu être aussi stupide ? J'aurais dû comprendre que rien de ce que je pourrais dire ou faire ne te ferait changer d'avis, une fois que ta décision serait prise. Mais je n'aurais jamais imaginé que tu puisses me mentir de façon aussi éhontée !

De grosses larmes coulaient à présent le long de ses joues et elle les essuya du revers de la main, furieuse de faire preuve de faiblesse en cet instant.

— Si seulement j'étais un homme, je pourrais te donner la correction que tu mérites ! s'écria-t-elle, rageuse.

— Si tu étais un homme, nous n'aurions probablement pas de problèmes à l'heure qu'il est, répondit posément Taylor. Maintenant, arrête de t'agiter de cette façon. Je te rappelle que tu viens de prendre un coup sur la tête !

L'expression mi-agacée, mi-amusée qui se lisait sur le visage de Taylor ne fit qu'accroître le désespoir de la jeune femme. Comment pouvait-il être aussi cruel ? Ne comprenait-il pas qu'il l'avait blessée au plus profond d'elle-même ? Mais peut-être s'en moquait-il, songea-t-elle tristement.

— Laisse-moi tranquille, soupira-t-elle, défaite.

— Allonge-toi, B.J., et tâche de dormir. Nous discuterons quand tu seras reposée.

Il tenta de la prendre par le bras mais elle recula prestement, sachant que, si elle le laissait faire, elle serait incapable de lui résister.

— Ne me touche pas ! s'écria-t-elle. Je suis sérieuse, Taylor !

Percevant la détresse qui perçait dans sa voix, il baissa la main.

— Très bien, lui dit-il en la regardant droit dans les yeux. Mais pourrais-tu au moins me dire ce que j'ai fait de mal ?

— Tu le sais très bien.

— Je n'en suis pas sûr, justement. Et j'aimerais que tu me l'expliques avec tes mots à toi.

— Tu as fait venir un architecte pendant que nous étions en Floride !

— Tu parles de Fletcher ? demanda Taylor, étonné. Que sais-tu d'autre à son sujet ?

— Que tu l'as appelé sans m'en parler et qu'il a inspecté l'auberge et dessiné les plans des aménagements que tu comptes réaliser. Et je te soupçonne de m'avoir emmenée en Floride pour me le cacher.

— C'était en partie le cas, reconnut Taylor sans se démonter.

Cet aveu tranquille transperça le cœur de B.J. aussi sûrement qu'une lame de couteau et elle détourna les yeux, incapable de retenir ses larmes.

— B.J., je pense vraiment que tu devrais me dire ce que tu crois savoir exactement.

— Oh, Darla a été plus que ravie de m'expliquer ce que tu avais en tête ! Tu n'as qu'à aller lui demander ce qu'elle m'a raconté !

— Elle est certainement déjà partie, à l'heure

qu'il est, répondit Taylor. Tu ne pensais tout de même pas que j'allais la laisser rester après ce qu'elle t'avait fait ?

B.J. ne s'était certainement pas attendue à cela et elle se demanda comment Taylor pouvait faire preuve, d'un instant à l'autre, d'une telle cruauté et de tant de sensibilité.

— Que t'a-t-elle raconté ? demanda-t-il gravement.

— Elle m'a tout dit, répondit la jeune femme. Que tu avais fait venir un architecte pour qu'il trace les plans de ton futur centre de vacances. Que tu allais probablement engager quelqu'un d'autre pour s'en occuper… Tu m'as menti, Taylor. Et tu as manqué à ta parole. Mais ce n'est là qu'un grief personnel. Le plus grave, c'est que tu vas transformer profondément la vie de Lakeside et la structure même de cette communauté. Tu vas bouleverser des dizaines de vies pour gagner quelques dollars de plus dont tu ne sauras que faire. Palm Beach est un hôtel magnifique, c'est incontestable. Mais il l'est avant tout parce qu'il est parfaitement adapté à son environnement et je ne pense toujours pas que ce genre de structure soit transposable n'importe où.

Taylor la regarda longuement puis secoua tristement la tête.

— Si j'avais su que Darla pouvait se montrer

aussi perfide, je n'aurais jamais fait appel à elle, soupira-t-il. Mais elle me le paiera très cher. Désormais, je me passerai de ses services…

Il s'interrompit et jeta un coup d'œil par la fenêtre, contemplant pensivement le lac.

— Si j'ai demandé à Fletcher de venir à l'auberge, reprit-il enfin, c'est pour deux raisons. La première, c'est que je voulais qu'il dessine les plans d'une maison que je compte faire bâtir sur le terrain que j'ai acheté la semaine dernière. Il est situé à dix kilomètres de Lakeside, sur une petite colline qui domine le lac.

— Je ne comprends pas. Pourquoi avoir acheté une telle propriété ?

— La seconde raison, poursuivit Taylor sans tenir compte de sa question, c'est que je voulais qu'il imagine une nouvelle aile pour l'auberge en respectant son architecture. Je compte transférer ici le siège de ma société dès que nous serons mariés et il me faudra plus d'espace.

B.J. le contempla avec stupeur, se demandant s'il n'avait pas brusquement perdu la raison. Une myriade d'émotions contradictoires se succéda en elle tandis qu'elle restait silencieuse, incapable de trouver les mots pour exprimer ce qu'elle ressentait.

Finalement, au prix d'un effort surhumain, elle parvint à recouvrer un semblant de maîtrise de soi.

— Je n'ai jamais accepté de t'épouser, déclara-t-elle enfin.

— Mais cela viendra, lui assura-t-il avec une parfaite décontraction. En attendant, tu peux rassurer les membres de ton personnel. L'auberge demeurera semblable à ce qu'elle a toujours été et tu resteras la gérante sous réserve de quelques ajustements.

— Quel genre d'ajustements ? demanda B.J., ne sachant toujours pas que penser de ce brusque revirement de situation.

— Je suis parfaitement d'accord pour gérer mon entreprise dans l'enceinte d'une auberge, répondit-il en souriant. Mais je n'ai aucune envie de vivre sur mon lieu de travail. Je suggère donc que nous nous installions dans notre nouvelle maison dès qu'elle sera construite. Tu pourras alors céder ta chambre à Eddie et lui déléguer une partie de tes responsabilités. Cela nous permettra de nous ménager un peu de temps pour voyager, tous les deux. J'ai d'ailleurs déjà organisé une petite escapade à Rome dans trois semaines.

— A Rome ? balbutia B.J., qui se demandait si elle n'était pas en train de rêver.

— Ta mère m'a envoyé un certificat de naissance pour que je puisse faire établir un passeport à ton nom.

La jeune femme se rappela alors les questions

qu'il lui avait posées à ce sujet lorsqu'ils étaient en Floride. Incapable d'assimiler les multiples révélations dont elle venait d'être témoin, B.J. se mit à faire les cent pas dans la chambre.

— Tu sembles avoir tout prévu, reconnut-elle en luttant pour conserver le contrôle de ses émotions. Tout, sauf mes propres sentiments au sujet de ces projets.

— Je connais parfaitement tes sentiments, objecta Taylor. Je te l'ai déjà dit : ton regard les trahit toujours.

— Je suppose que cela t'arrange, répliqua-t-elle d'un ton chargé de reproche. Tu as dû comprendre ce qui m'arrivait à l'instant même où je me suis rendu compte que j'étais tombée amoureuse de toi.

Elle s'immobilisa devant la fenêtre, regardant sans le voir le paysage qui s'offrait à sa vue. Taylor s'approcha alors et lui massa doucement les épaules pour dissiper la tension qui s'était accumulée en elle.

— C'est vrai, admit-il. Et cela a beaucoup simplifié les choses.

— Je ne comprends pas, lui dit-elle. Pourquoi voudrais-tu m'épouser ?

Il posa ses lèvres sur les cheveux de la jeune femme et elle ferma les yeux, incapable de résister à cette marque de tendresse.

— A ton avis ? murmura-t-il d'une voix emplie de désir.

— Nous n'avons pas besoin d'être mariés pour cela, protesta-t-elle. La nuit où tu es venu dans ma chambre, j'étais déjà en ton pouvoir.

— Je sais, avoua-t-il en passant ses bras autour de la taille de B.J. Mais il était déjà trop tard pour que je puisse me contenter d'une simple nuit avec toi. Je savais déjà que tu étais celle que j'avais toujours cherchée, celle que j'avais toujours attendue. Toi, par contre, tu n'en étais pas encore convaincue, loin de là. Tu me désirais mais tu ne m'aimais pas. Et cela ne me suffisait pas.

— D'autant que tu avais Darla pour réchauffer ton lit en attendant, répliqua-t-elle avec une pointe de rancœur.

— Je ne mentirai pas, répondit gravement Taylor. Darla et moi avons été amants, autrefois. Mais je te promets que je ne l'ai pas touchée depuis le jour où je t'ai rencontrée. Ça l'a rendue furieuse, d'ailleurs, et elle a essayé de me détourner de toi. J'imagine qu'elle ne pouvait pas comprendre ce que je ressentais. Elle est incapable d'aimer qui que ce soit à part elle-même…

Se tournant vers lui, B.J. sentit une boule se former dans sa gorge tandis que des larmes de joie coulaient le long de ses joues.

— Mais pourquoi as-tu attendu si longtemps

avant de me le dire ? s'exclama-t-elle. Cela fait deux semaines que tu me rends complètement folle !

— Parce que je voulais que tu sois aussi sûre de tes sentiments que je l'étais des miens, répondit-il. Et ne t'imagine pas que cela a été plus facile pour moi ! J'ai dû me battre sans cesse contre moi-même, contre mon propre désir. J'ai vécu un véritable enfer, crois-moi ! Mais la seule chose qui m'aidait à le supporter, c'était l'amour que j'éprouvais pour toi et que je sentais grandir chaque jour.

B.J. le contempla d'un air incertain, mais la tendresse infinie qu'elle lut dans son regard suffit à la convaincre que Taylor lui disait la vérité. Jamais elle ne s'était sentie aussi heureuse qu'en cet instant. Toutes les souffrances qu'elle avait traversées au cours de ces derniers jours étaient balayées par une joie si immense qu'elle en était presque terrifiante.

— Je t'aime, murmura Taylor d'une voix vibrante d'émotion. Je crois que je suis tombé amoureux de toi à l'instant même où je t'ai vue te jeter sur la dernière base de ce terrain de base-ball.

— Dans ce cas, tu aurais au moins pu dire que je n'étais pas *out*, répondit-elle en souriant à travers ses larmes.

Il éclata de rire et la prit dans ses bras pour la serrer contre lui de toutes ses forces. Et elle eut l'impression qu'après des années d'errance elle se retrouvait enfin là où elle avait toujours voulu être.

— Je continue à penser que tu aurais pu me dire tout cela avant, reprit-elle enfin.

— Telle était bien mon intention lorsque je suis venu te parler, le jour où tu t'es disputée avec Darla. Lorsque je suis entré dans le bar, c'était pour t'avouer mes sentiments et tenter de prendre un nouveau départ. Mais, avant même que j'aie pu le faire, tu t'es montrée cassante et glacée. Le lendemain, dans ta chambre, tu t'es mise en colère. C'est là que j'ai compris que, tant que nous resterions dans un cadre professionnel, nous n'aurions jamais la possibilité de faire abstraction de nos différends. C'est pour cela que je t'ai emmenée avec moi en Floride.

— Je croyais que c'était parce que Bailey avait un problème, objecta-t-elle.

— Disons que j'ai fait d'une pierre deux coups. Mais, de toute façon, j'étais bien décidé à t'arracher quelques jours à l'auberge. Je voulais que nous nous retrouvions seuls, toi et moi. Que tu puisses te détendre et être plus à l'écoute de ton propre cœur.

Il sourit et déposa un petit baiser sur ses lèvres.

— Bien sûr, reprit-il, je ne pensais pas que tu en profiterais pour séduire Hardy !

— Je ne l'ai pas séduit, protesta-t-elle vivement. C'est lui qui a essayé.

— Tu ne l'as pas vraiment découragé.

— Ne me dis pas que tu étais jaloux !

— Voilà ce que j'appelle un euphémisme, répondit Taylor en riant. En tout cas, c'est à ce moment que j'ai décidé pour la deuxième fois de t'avouer mes sentiments. J'étais bien décidé à le faire dans les règles de l'art. J'avais commandé un bon dîner, du vin et mis de la musique. Et je voulais te demander de m'épouser.

— Pourquoi ne l'as-tu pas fait, alors ? demanda B.J., étonnée.

— Parce que je me suis laissé distraire, avoua-t-il. Je n'avais pas du tout l'intention que les choses aillent aussi loin. Et je comptais bien sur la force de ma volonté pour éviter que cela ne se produise. Mais j'avais sous-estimé le désir que j'avais de toi. Et lorsque j'ai compris que j'étais en train de perdre tout contrôle, je m'en suis voulu.

— Je pensais que c'était contre moi que tu étais furieux, remarqua B.J.

— Je sais. Et cela valait peut-être mieux. Si tu avais deviné ce que je ressentais, je n'aurais probablement pas pu résister à la tentation. Or, je ne voulais pas que notre relation se limite à cela.

— Moi qui croyais que tu ne me désirais pas

vraiment, murmura-t-elle, stupéfiée par l'idéalisme que trahissaient ses paroles.

Ce fut au tour de Taylor de paraître surpris.

— Comment as-tu pu imaginer une chose pareille ? s'exclama-t-il. Je te veux, B.J. J'ai besoin de toi comme je n'ai eu besoin de personne auparavant. Chaque fois que je te regarde dans les yeux, j'ai l'impression de m'y perdre pour mieux me retrouver.

Terrassée par l'émotion qu'éveillait en elle cette déclaration passionnée, B.J. ne put trouver les mots pour y répondre. Jugeant que les gestes valaient parfois mieux que les paroles, elle se dressa sur la pointe des pieds pour embrasser Taylor.

Il y avait dans ce baiser une tendresse si profonde qu'il prenait la valeur d'une promesse éternelle, de cet engagement total qu'elle se sentait prête à lui offrir. Il était son présent et son avenir, le seul homme qu'elle avait aimé et qu'elle aimerait à jamais.

— Je ne sais pas comment j'ai pu rester loin de toi au cours de ces derniers jours, murmura Taylor quand ils se séparèrent enfin. J'avais l'impression de me retrouver seul dans le désert.

La jeune femme enfouit son visage au creux de son épaule, se gorgeant de son odeur qui éveillait en elle un désir enivrant.

— Je voulais juste que tout soit prêt lorsque je

reviendrais vers toi, reprit Taylor. Malheureusement, ta perspicacité m'en a empêché. Notre contrat de mariage ne sera prêt que demain.

— Je peux peut-être accélérer la procédure, répondit B.J. en souriant. Le juge Walker est l'oncle d'Eddie.

— Je vois aujourd'hui combien tu avais raison, lui dit Taylor en riant. Rien ne vaut les petites villes !

Comme il se penchait sur elle pour l'embrasser de nouveau, quelqu'un frappa frénétiquement à la porte.

— B.J., c'est moi, fit la voix d'Eddie. Je n'arrive pas à retrouver le dîner de Julius, le chien de Mme Frank. Il faudrait aussi des graines pour Horatio.

— Qui diable est Horatio ? souffla Taylor.

— Le perroquet des sœurs Bodwin, répondit B.J.

— Dans ce cas, tu n'as qu'à dire à Eddie de donner Horatio à manger à Julius. Cela devrait régler le problème !

— C'est une idée, répondit B.J. en riant. Mais je crois que nous perdrions de très bonnes clientes. Le repas de Julius est sur la troisième étagère du réfrigérateur de la réserve, ajouta-t-elle à l'intention d'Eddie. Quant aux graines, tu n'as qu'à envoyer quelqu'un à l'épicerie de Lakeside. Je sais qu'ils en vendent. Maintenant, fiche le camp, Eddie. Je suis en pleine discussion avec M. Reynolds !

— Très bien, je vous laisse, répondit son assistant.

Ils l'entendirent s'éloigner dans le couloir. La jeune femme se tourna alors vers Taylor en souriant.

— Maintenant, monsieur Reynolds, je pense que nous devrions étudier les plans qu'a dessinés M. Fletcher. En tant que gérante, je pense avoir mon mot à dire sur les aménagements qu'il a prévu de réaliser.

— B.J., je me demande vraiment si tu apprendras un jour à te taire, s'exclama Taylor en souriant.

— Ne compte pas trop là-dessus, répliqua-t-elle. Mais je te promets de te laisser de longues années pour m'enseigner les vertus du silence.

— Dans ce cas, déclara Taylor, je ferais mieux de commencer dès maintenant.

Se penchant sur elle, il posa ses lèvres sur les siennes.

— Au fait, ajouta-t-il malicieusement lorsqu'ils se séparèrent. Maintenant que j'ai vu ton acte de naissance, je sais enfin ce que représentent les initiales de ton prénom…

Dès le 1er décembre,
4 romans à découvrir dans la

collection NORA ROBERTS

Les héritiers ennemis

Shelby Campbell a beau être fille de sénateur et habiter Washington depuis toujours, elle refuse d'entendre parler de politique, responsable à ses yeux du drame qui lui a volé, alors qu'elle était enfant, son père qu'elle adorait et qu'elle pensait invulnérable. Mais lorsqu'à l'occasion d'un cocktail, elle fait la connaissance d'Alan MacGregor, jeune et brillant sénateur du Massachusetts, Shelby comprend tout de suite qu'il va lui falloir toute sa volonté pour lutter contre le désir fou, violent, délicieux, que l'héritier des MacGregor lui inspire. Car si elle cède, elle pressent qu'elle ne tardera pas à tomber amoureuse, et qu'elle devra alors affronter l'angoisse de perdre, une fois de plus, ce qu'elle a de plus cher…

Le rendez-vous des amants

B.J. est aux anges. Avec l'arrivée du printemps, la saison battra bientôt son plein sur les rives du lac Champlain, et Lakeside Inn, la vieille auberge pleine de charme dont elle s'occupe, accueillera bientôt des clients amoureux comme elle de la Nouvelle-Angleterre et de ses splendides paysages. Mais l'arrivée de Taylor Reynolds transforme très vite cette joie en colère. Car le nouveau propriétaire des lieux se conduit en despote et prétend lui réapprendre son métier. Et sa colère ne fait que croître lorsqu'elle apprend qu'il compte transformer le petit hôtel qu'elle aime tant en luxueux centre de vacances ! Afin de préserver Lakeside Inn, et de protéger le personnel chaleureux qui y travaille, B.J. est prête à tenir tête à cet homme arrogant. Même si, en secret, elle ressent en sa présence un trouble qui la déstabilise profondément…

Le souffle du danger

En séjournant au château des Fairchild, Adam Haines pensait mener une enquête discrète sur le maître des lieux, un peintre célèbre soupçonné de faux. Certainement pas à tomber sous le charme de Kirby, sa fille, une artiste talentueuse, belle et flamboyante… Très vite, Adam comprend que sa situation va devenir très difficile. Pas seulement à cause des indices inquiétants qui incriminent chaque jour un peu plus Philip Fairchild, son hôte, mais aussi parce que l'aventure sans lendemain qu'il imaginait avec Kirby se transforme rapidement en une véritable passion. Une passion qui pourrait bien compromettre son enquête et attirer sur lui le souffle du danger…

Un Noël dans les Catskills

A la mort de son oncle, Pandora apprend, stupéfaite, qu'elle hérite de la fortune du vieil homme, ainsi que de sa maison des Catskills. A une condition : qu'elle y habite durant six mois avec Michael Donahue, un homme qui l'a toujours horripilée par son arrogance, mais pour lequel son oncle avait une grande estime. D'abord réticente, Pandora finit par accepter, au nom de l'affection qu'elle vouait à son oncle, et par attachement à la demeure, qui abrite ses plus beaux souvenirs d'enfance. Et, alors que la neige isole peu à peu la demeure des Catskills du reste du monde, et que Noël approche, Pandora se promet de tout faire pour que cette cohabitation forcée se passe au mieux. Même si Michael, toujours aussi insupportable —, et toujours aussi séduisant — la trouble beaucoup trop à son goût…

Prochain rendez-vous le 1er février 2012

Best-Sellers n°486 • *suspense*

Un mystère à Black Falls - Carla Neggers

La petite ville de Black Falls, dans le Vermont, semble bien paisible sous son rideau de neige… jusqu'à ce que Rose Cameron, experte en sauvetages d'urgence, découvre un corps carbonisé, presque méconnaissable. Presque… car Rose est sûre de savoir de qui il s'agit, et elle est convaincue que cette mort n'a rien d'un accident. D'autant que Nick Martini, un pompier expérimenté qui est venu la trouver, soupçonne lui aussi l'intervention d'un pyromane. Nick, un homme séduisant qu'elle n'avait jamais revu depuis la nuit de passion qu'ils ont partagée l'année précédente. Bouleversée par ces retrouvailles mais décidée à faire le jour au plus vite sur cette sombre affaire, Rose met de côté ses sentiments et accepte de collaborer avec Nick pour traquer un dangereux criminel – au risque de se retrouver prisonnière d'un piège de feu.

Best-Sellers n°487 • *suspense*

Mémoire à vif - Brenda Novak

De retour dans le Tennessee à Whiterock, sa ville natale, après douze années d'absence, Sheridan Kohl redoute de voir son passé refaire surface, et avec lui les terribles souvenirs qui ont bouleversé sa vie. Et même si elle a peu à peu reconstruit son existence autour de l'association d'aide aux victimes qu'elle a créée en Californie avec deux amies, elle sait que seule la vérité sur son agression et sur le meurtre dont elle a été le témoin adolescente pourra la libérer des cauchemars qui hantent ses nuits. Mais à peine arrivée, Sheridan est à nouveau victime d'une agression et ne doit la vie sauve qu'à l'intervention de Cain Granger, son amour de jeunesse. Cain, un mauvais garçon au charme ravageur que toute la petite communauté de Whiterock soupçonne encore d'être l'auteur du crime que Sheridan est venue résoudre.

Best-Sellers n°488 • *suspense*

Menacée - Karen Harper

Lorsqu'elle se rend dans un coin perdu de l'Alaska pour un stage professionnel, l'avocate Lisa Vaughn espère profiter pleinement de ces quelques jours en pleine nature. Pourtant, dès son arrivée, une étrange impression d'être épiée la met mal à l'aise. Un malaise qui se transforme en panique lorsque Lisa est précipitée dans les eaux tumultueuses et glacées du torrent Wild. Un torrent dont elle ne serait jamais sortie vivante si Mitch Braxton ne s'était embarqué en kayak dans une course folle sur les rapides pour la sauver. Mitch, le directeur du stage, mais aussi et surtout son ancien fiancé, cet homme qui lui a déchiré le cœur en partant vivre loin d'elle plusieurs années auparavant. Bouleversée et désorientée, Lisa accepte la proposition de Mitch de veiller sur elle et de l'aider à enquêter. S'agit-il d'un simple accident, d'une menace ? Ou, aussi incroyable que cela puisse paraître, quelqu'un souhaite-t-il réellement la tuer ?

Best-Sellers n°489
Magie d'hiver

Les cinq histoires réunies dans ce livre explorent la magie d'un hiver de givre où la douceur ouatée de la neige et la chaleur réconfortante des feux de bois accompagnent toutes les promesses d'amour… Amour impossible d'Alanna qui, le soir de Noël, ne peut pas accepter la demande en mariage de Ian alors qu'il va bientôt devoir partir. Amour renaissant de Noelle et Thom, séparés depuis dix ans, qui se retrouvent au moment des fêtes de fin d'année. Amour passionné d'Elaine et Tony qui, depuis leur adolescence, se donnent rendez-vous à chaque veille de Noël. Jusqu'au jour où Elaine attend Tony en vain… Amour fou et imprévu de Devin pour Robin et le bébé qu'elle met au monde un soir de tempête. Un amour qui fait naître en lui le désir d'une vraie famille. Amour absolu d'Amy qui rêve pour ses enfants du plus merveilleux des réveillons de Noël. Autant de rencontres imprévues, de brûlantes étreintes, de retrouvailles bouleversantes et de tendres réconciliations…

Best-Sellers n°490 • suspense
L'île des disparues - Heather Graham

Quand Chloé Marin, jeune et talentueuse psychologue, collabore à une enquête de police sur la mystérieuse disparition d'un jeune mannequin sur une petite île de Floride, elle ne s'attend pas à voir son propre passé ressurgir. Et surtout pas ces meurtres terribles qui l'ont brisée lorsqu'elle était adolescente et qu'elle a essayé d'enfouir au plus profond de sa mémoire. Pourtant, à peine démarre-t-elle ses recherches que des crimes sont commis et lui rappellent le drame dont elle a été témoin dix ans plus tôt. Mais le plus perturbant, ce sont encore ces visions qui s'emparent de son esprit. Des visions incroyablement réalistes de la jeune femme disparue implorant son aide. Dès lors, Chloé n'a plus le choix. Prête à tout pour faire la lumière sur cette affaire, elle s'associe à Luke Cane – un détective privé secret et mystérieux à qui elle a rapidement accordé sa confiance. Mais elle ne sait pas encore à quel point sa protection lui sera précieuse. Ni qu'elle est désormais la cible d'un tueur implacable. Un tueur qui n'est jamais loin …

Best-Sellers n°491 • thriller
Le silence de la peur - Karen Rose

Son projet était désespéré. Mais Mary Grace Winters savait que la seule manière pour elle et pour son fils d'échapper à son mari, un policier violent qui les maltraitait, était de mettre en scène leur propre mort…

Aujourd'hui, tout ce qu'il reste de leur ancienne vie gît au fond d'un lac. Sous une nouvelle identité, Mary Grace a trouvé refuge avec son petit Tom à Chicago, loin de sa ville natale. Et sous le nom de Caroline Stewart, elle a presque oublié le cauchemar qu'elle a fui sept ans auparavant, au point de se laisser aller à une relation amoureuse avec son nouveau collègue, Max Hunter. Max, un homme qui est lui aussi hanté par d'anciennes et profondes blessures, et qui lui a spontanément inspiré confiance. Pourtant, elle l'ignore encore, son passé est sur le point de ressurgir et de faire voler en éclats la vie paisible qu'elle s'est construite. Car son mari a retrouvé sa trace et celle de son fils. Pas à pas, il se rapproche…

Best-Sellers n°492 • *historique*
Innocente trahison - Kat Martin

Angleterre, 1854.

Depuis qu'ils l'ont recueillie chez eux après la mort de ses parents, Lily Moran voue une loyauté sans faille aux Caulfield, et surtout à leur fille Jocelyn dont elle est devenue la dame de compagnie. Une loyauté qui est mise à rude épreuve lorsqu'elle rencontre Royal Dewar, duc de Bransford, auquel Jocelyn est promise depuis des années. Car si Lily sait que cet homme ne lui appartient pas, elle ne peut ignorer l'intense désir qui s'installe entre eux dès les premiers instants. Et bientôt, incapable de résister à la tentation, Lily s'abandonne entre les bras du duc pour un baiser d'une incroyable sensualité.

Pourtant, elle le sait, Royal n'a rien de plus à lui offrir que ces quelques instants de plaisir volés. N'a-t-il pas promis à son père qu'il épouserait Jocelyn, ainsi que sa fortune, pour restituer son prestige au duché de Bransford ? Alors, déterminée à mettre un terme à ce vain jeu de séduction, Lily fait tout pour éviter le fascinant Royal. Jusqu'à ce que le destin les pousse à commettre l'irréparable…

Best-Sellers n°493 • *suspense*
Tensions - Francis Roe

Pour la première fois depuis le début de sa brillante carrière de chirurgien à New Coventry, le docteur Caleb Winter est confronté à un terrible cas de conscience : afin de sauver la vie de sa patiente, Céline de la Roche, il devrait normalement pratiquer une intervention classique et en accepter les effets secondaires indésirables. Et pourtant, cette fois, il se sent prêt à risquer sa carrière et sa réputation pour tenter une « première » médicale en pratiquant sur elle une greffe très risquée. Caleb a en effet des raisons personnelles de vouloir tenter le tout pour le tout. Et même si son devoir de médecin lui impose la plus stricte neutralité, il sent bien que son jugement est altéré par l'irrépressible attirance qu'il éprouve pour Céline. Car sa patiente – une femme de pouvoir qui dirige une maison d'édition new-yorkaise -, est jeune, belle et intelligente. Fragile aussi. Une fragilité qui fait écho à sa propre solitude dans un monde hospitalier fait de rivalités et de querelles de pouvoir, où Caleb suscite de terribles jalousies. Mais peut-il vraiment se lancer dans une lutte sans merci pour Céline… au risque de tout perdre ?

Recevez directement chez vous la

collection **NORA ROBERTS**

6,84 € (au lieu de 7,20 €) le volume

Oui, je souhaite recevoir directement chez moi les titres de la collection Nora Roberts cochés ci-dessous au prix exceptionnel de 6,84 €* le volume, soit 5% de remise. Je ne paie rien aujourd'hui, la facture sera jointe à mon colis.

❑ Le souffle du danger	NR00009
❑ Les héritiers ennemis	NR00010
❑ Le rendez-vous des amants	NR00011
❑ Un Noël dans les Catskills	NR00012

* + 2,90 € de frais de port par colis.

RENVOYEZ CE BON À :
Service Lectrices HARLEQUIN - BP 20008 - 59718 Lille CEDEX 9

N° abonnée (si vous en avez un) ⬛ ⬛ ⬛⬛⬛⬛⬛⬛⬛⬛

Mme ❑   Mlle ❑   Prénom _____

NOM _____

Adresse _____

Code Postal ⬛⬛⬛⬛⬛   Ville _____

Tél. ⬛⬛⬛⬛⬛⬛⬛⬛⬛⬛ Date d'anniversaire ⬛⬛⬛⬛⬛⬛⬛⬛

E-mail _____ @ _____

❑ oui je souhaite recevoir par e-mail les informations des éditions Harlequin
❑ oui je souhaite recevoir par e-mail les offres des partenaires des éditions Harlequin

Conformément à la loi Informatique et Libertés du 6 janvier 1978, vous disposez d'un droit d'accès et de rectification aux données personnelles vous concernant. Vos réponses sont indispensables pour mieux vous servir. Par notre intermédiaire, vous pouvez être amené à recevoir des propositions d'autres entreprises. Si vous ne le souhaitez pas, il vous suffit de nous écrire en nous indiquant vos nom, prénom, adresse et si possible votre référence client. Vous recevrez votre commande environ 20 jours après réception de ce bon.
<u>Offre réservée à la France métropolitaine, dans la limite des stocks disponibles.</u>

Retrouvez

collection NORA ROBERTS

n°1 sur la liste des meilleures ventes du New York Times !

sur

www.harlequin.fr

- ♥ Sa biographie
- ♥ Son interview
- ♥ Ses livres

Rendez-vous sur www.harlequin.fr
rubrique Les Auteurs

Composé et édité par les

éditions H **HARLEQUIN**

Achevé d'imprimer en France (Malesherbes)
par Maury-Imprimeur
en novembre 2011

Dépôt légal en décembre 2011
N° d'imprimeur : 168056